人文武术精品书系

勿使前辈之遗珍失于我手
勿使国术之精神止于我身

许禹生

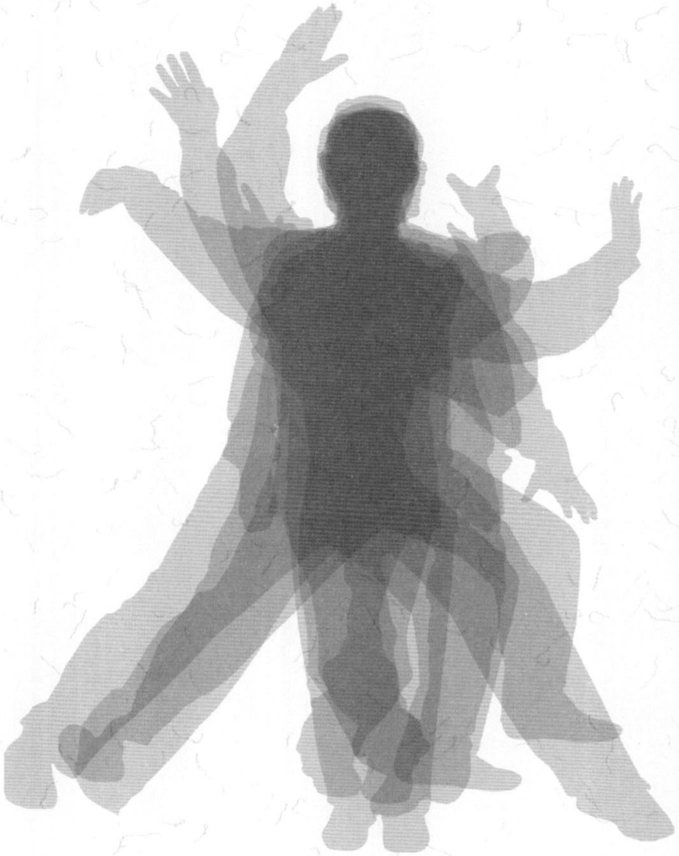

陈式太极拳第五路

少林十二式

武学名家典籍丛书

许禹生武学辑注

许禹生·著

唐才良·校注

北京科学技术出版社

许禹生（1878—1945年），武术教育家，字龗厚，北京市人，原籍山东省济南市。许禹生出生于武术世家，自6岁起，习练查拳、潭腿等拳术，后拜师河北省沧州市的刘德宽先生学习六合门拳械等。

许禹生在与各派武术行家的交流中，广泛了解了武术各门各派的长处，特别是见识到了太极拳家杨健侯先生的高超技艺，并拜其为师。经年累月的武术实践为他日后创办武术团体奠定了基础。1912年底，许禹生邀请郭秋坪、钟一峰、岑履信、关伯益、全湘甫、延曼生等武术名家创办了北京体育研究社。

许禹生借助研究社创办体育刊物，开展武术培训、武术宣传和武术研究，使武术进入学校教育领域，成为学校体育课的重要内容。

陈式太极拳第五路

少林十二式

感谢顾元庄、王占伟先生提供收藏版本

出版人语

武术作为中华民族文化的重要载体，集合了传统文化中哲学、天文、地理、兵法、中医、心理等学科精髓，它对人与自然和谐共生关系的独到阐释，它的技击方法和养生理念，在中华浩如烟海的文化典籍中独放异彩。

随着学术界对中华武学的日益重视，北京科学技术出版社应国内外研究者对武学典籍的迫切需求，于2015 年决策组建了“人文·武术图书事业部”，而该部成立伊始的主要任务之一，就是编纂出版“武学名家典籍”丛书。

入选本套丛书的作者，基本界定为民国以降的武术技击家、武术理论家及武术活动家，而之所以会有这个界定，是因为此时期的武术，在中国武术的发展史上占据着重要的位置。在这个时期，中西文化日渐交流与融合，传统武术从形式到内容，从理论到实践，都发生了巨大的变化，这种变化，深刻干预了近现代中国武术的走向。

这一时期，在各自领域“独成一家”的许多武术人，之所以被称为“名人”，是因为他们的武学思想及实践，对当时及现世武术的影响深远，甚至成为近一百年来武学研究者辨识方向的坐标。这些人的

"名"，名在有武术的真才实学，名在对后世武术传承永不磨灭的贡献。他们的各种武学著作堪称"名著"，是中华传统武学文化极其珍贵的经典史料，具有很高的文物价值、史料价值和学术价值。

民国时期的太极拳著作，在整个太极拳发展史上占有举足轻重的地位。当时的太极拳著作，正处在从传统的手抄本形式向现代著作出版形式完成过渡的时期；同时也是传统太极拳向现代太极拳过渡的关键时期。这一历史时期的太极拳著作，不仅忠实地记载了太极拳架的衍变和最终定型，而且还构建了较为完备的太极拳技术和理论体系。如著名杨式太极拳家杨澄甫先生的《太极拳使用法》《太极拳体用全书》，一代武学大家孙禄堂先生的《形意拳学》《八卦拳学》《太极拳学》《八卦剑学》《拳意述真》，武学教育家陈微明先生的《太极拳术》《太极剑》《太极答问》，以及《陈鑫陈氏太极拳图说》。本辑为许禹生所著，他编写武术教材，开整理研究武术之先河。许禹生参与创立的北京体育研究社以"普及武术运动、研究武术理论和拳史、培养武术人材、达到强民报国"为宗旨，并出版《太极拳势图解》《少林十二式》《太极拳（陈式太极拳第五路）》等，在中国武术面临向何处去的转折关头，着眼于传统武术的改革，为中国武术的振兴，写下了重重的一笔。

这些著作及其作者，在当时那个年代已具有广泛的影响力，而时隔近百年之后，它们对于现阶段的拳学研究依然具有指导作用，依然被太极拳研究者、爱好者奉为宗师，奉为经典。对其多方位、多层面地系统研究，是我们今天深入认识传统武学价值，更好地继承、发展、弘扬民族文化的一项重要内容。

本丛书由国内外著名专家或原书作者的后人以规范的准则对原文

进行点校、注释和导读，尊重大师原作，力求经得起广大读者的推敲和时间的考验，再现经典。

“武学名家典籍”丛书，将是一个展现名家、研究名家的平台，我们希望，随着本丛书第一辑、第二辑、第三辑……的陆续出版，中国近现代武术的整体风貌，会逐渐展现在每一位读者的面前；我们更希望，每一位读者，把您心仪的武术家推荐给我们，把您知道的武学典籍介绍给我们，把您研读诠释这些武术家及其武学典籍的心得体会告诉我们。我们相信，“武学名家典籍”丛书这个平台，在广大武学爱好者、研究者和我们这些出版人的共同努力下，会越办越好。

导读

一、许禹生生平简介

许禹生（1878—1945 年），武术教育家，字龗厚，北京市人，原籍山东省济南市。许禹生生于一个武术世家，从 6 岁起，便在父兄的督促下习练查拳、潭腿等拳术，到 13 岁时，便掌握了查拳一路至十路、潭腿一路至十二路。许禹生 20 岁那年，拜师河北省沧州市的刘德宽先生，学习六合门拳械与奇门兵器方天画戟。24 岁那年，许禹生与一位山东赵姓查拳名家交手，结果是 3 胜 2 负，自此声名鹊起，他的家也成了武术行家相互交流的场所。许禹生在与各派武术行家的交流中受益匪浅，广泛了解了武术各门各派的优势，也见识到太极泰斗杨健侯先生独特的柔劲，明白了“四两拨千斤”的哲理，并诚恳拜杨健侯先生为师。经过长年累月的苦练与体悟，许禹生对传统武艺中的真谛有了更深的认识，为日后创办武术团体与从事武术教育工作奠定了基础。

1912 年底，许禹生与北京的多位武术名家共同创办了北京体育研究社。根据《体育研究社略史》记载：“乃有京师志士许禹生、郭秋坪、钟一峰、岑履信、关伯益、金湘甫、延曼生诸君谋组织体育研究社，对于体育从事研究，更得佟旭初、吴彦卿、治鹤清、于子敬、王模山、章联甫、祝荫亭、刘芸生、伊见思、钟受臣、赵静怀、陈筱庄、维效先、王鹤龄、赵绍庭、梁载之、郭志云、郭幼宜诸君之赞助，乃于民国元年冬正式成立。嗣蒙各机关批准立案。所标宗旨系以提倡尚武精神，养成健全国民，并专事研究中国旧有武术，使成系统，不含宗教及政党性质。”北京体育研究社以“普及武术运动，研究武术理论和拳史，培养武术人才，达到强民报国”为宗旨，社长由当时北京市长兼任，许禹生任副社长，赵鑫州、吴鉴泉等分别任少林、太极类总教习。同时，体育研究社还广招贤达，聘得在北京寄身的冀、鲁、豫、甘、陕等省的各门派拳师20余人任武术教习。体育研究社在征得北京市政府的认可后，以“北京体育研究社”的名义印发了《告北京各高中学校校方书》的布告，布告的大意为“武术为吾国的特有技术，古人用于防身御敌，如今则可强国强种。观近年来外籍强人诸如日、俄等国之武士或大力士，欺吾国之民众，尤辱吾之武术圈内人士，大谈‘东亚病夫’之言论。鉴此特告示国民并学子，报学吾国之武艺，以便日后报效国家”等。布告公布后，反响十分强烈，有40多所大、中学校先后向北京体育研究社发出了申请，要求派教习前去教授武术。

京师各校渐向该社聘请教员，教授武术一时成为北京各校的一种风气。1916年，又由许禹生倡导，成立了北京体育讲习所，以作为北京体育研究社的附设机构。许禹生除亲自任课外，还延聘吴鉴泉、杨健侯、杨少侯、杨澄甫、孙禄堂、刘恩绶、张忠元、佟连吉、姜登撰、纪子修、刘彩臣等武术名家在此任教。北京体育讲习所始终遵循“以培养大、中、小学校学生之武术师资力量为准绳”，训练科目分为拳法（徒手与器械）、武术理论两大类，讲述的内容有杨式太极拳、吴式太极拳、北派少林拳、八卦掌、形意拳、六合八法拳、岳氏连拳，也包括擒拿格斗诸术。一时间，北京城武风骤起，清早、傍晚甚至课间都可以见到学子们舞刀弄棒的身影。

讲习所受到了当局的重视，由教育部解决了该机构的办所地址、经费。后来教育部发专文给全国各省市教育管理部门，要求其所属大、中、小学选派专职人员前来学习（培训），并准允学员结业后分配到学校担任专职武术教师。

1928 年，许禹生赶赴南京专程拜访了中央国术馆董事会张之江、李景林等，并申请设立北平国术馆（1928 年，北京称“北平”）。在征得同意后，许禹生用了不到三个月的时间，便在体育研究社的基础上，成立了北平特别市国术馆，仍邀请北平市长为馆长，自己担任副馆长。

从 1928 年 12 月至 1936 年 12 月，北平特别市国术馆共开设民众国术训练班、国术教员讲习班 746 期之多，编辑印制教材 150 余种，组织培训的人员约 38000 人。“九一八”事变后，该馆特意开设了数期速成“砍刀术培训班”，重点传授简单实用的临阵劈砍刀法，旨在为抗击日寇输送杀敌勇士。

许禹生以北京体育研究社的名义创办了一本研究体育与武术的刊物《体育季刊》；成立北平特别市国术馆后，又开办专门宣传推广传统武术的杂志《体育月刊》。许禹生都亲自担任主编，确立办刊宗旨和依托杂志推动相关工作。两种杂志内容丰富，文字简明扼要，适合各界各层次人士阅读，对武术的推广发挥了很大的作用。杂志每期的封二上，分别设有“投稿简章”“征集（收购）国术秘本”“介绍国术教员”“新书预告”等栏目。“征集（收购）国术秘本”的启事曾经写道："本刊征求家藏或坊间旧有国术书籍或秘本，本刊认为有价值书籍得出资收买，凡欲出售者必先送本刊编辑处审核，不合者得发还之。"这对挖掘和保存中国武术文化起了很大的示范作用。

许禹生著有《太极拳势图解》《少林十二式》《罗汉行功法》《神禹剑》《中国武术史略》《太极拳》（即《陈氏太极拳第五路》）等。

1945 年，许禹生逝于北平，享年 67 岁。杨敞曾用诗来评价许禹生："许九哥儿幼习拳，纡尊降贵友群贤。清除阶级谈平等，培植师资结众缘。往昔拳家各逞雄，觝排异己翊宗风，破除门户消成见，第一公推许禹生。"

二、中华武术在竞争中浴火重生

热兵器考验了中华武术的生存能力，自义和团运动后，中华武术一度失去了存在的话语权。物竞天择，适者生存，新的时代需要新的武术，传统武术能否适应时代的发展而变化，是当时武术家们面临的课题。

体操是 20 世纪人类文明进步的产物，是时代潮流。中国武术要复兴、要适应新时代的需要，首先要对武术进行改造。武术体操化是适应时代文明的发展，也是许禹生等民国人士的必然选项。

体操肇始于德国。19 世纪，德国在一次重要会战中战败，国民的士气受到了严重的打击，举国不振。这时候有位体育学家想出了一个点子，他把军事动作和列队练习融合在一起，发明了一套体操。做操的人不仅要穿上统一的制服，还要高唱爱国歌曲，这种发扬爱国精神的团体操迅速地重整了德国国民的斗志和雄心。自此，体操风潮迅速在欧洲流行开来，在丹麦，又发展出了各种体操组织，短短几年，体操组织竟达 130 多个。

虽然体操运动诞生于欧洲，但最会搞营销的还是美国大都会人寿公司，该公司在电台广播节目中专门设立了广播体操栏目，还配套推出了广播体操图解，提出口号“为了促进大家的身体健康”。虽然该公司的目的是降低保险的赔付率，但由于体操确实有利于民众身体健康、减少疾病的发生，所以很快在美国流行推广。

一年后，体操之风吹到了亚洲，日本从美国这种又蹦又跳的运动中发现了强国强民的秘籍，于是也把广播体操引进国内，并把这种运动的全民性发挥到了极致，使广播体操很快风靡了整个日本，全国上下，老老少少纷纷加入到“操练起来”的大军中。

我国在鸦片战争与中日甲午战争之后，认识到国民体质羸弱，不如西方人强健，认为这也是我国输掉战争的原因之一。清末，清政府废除科举、兴办学堂，从日本引进了全套教育模式，其中体操也被列为学校正式的课程。

面对东西方文化的碰撞，积极的态度不是排斥和对抗，而是竞争。民国时期的一些革命者和知识精英清醒地认识到，西方体育对提高国民身体健康确实有着明显的优势，是有利于“强国强种”，但西方体育在输入过程中水土不服，比如师资、场地、器具，以及资金的投入等方面我国有着明显的弱势。因此，蔡元培、许禹生等教育界人士，顺势提出也让中国武术进入学校，用武术来与体育竞争。这样中华武术在竞争中凤凰涅槃，也催生了许禹生的武学思想。

三、许禹生的武学思想

如何使中华民族最基本的文化基因与当时的文化相适应，与现代社会相协调，是民国人士面临的紧迫的课题。中华武术承载着数千年文化积累，武术是通过肢体动作来表现文化的，因而从武术中选择一些有代表性的、简便易学的动作，配以口令，是很容易将武术改造成体操的。当然，这样体操化的武术，或多或少保留着本民族的文化符号，很能适应时代的需要，为中国民众所接受。

毋庸讳言，中华武术也有着自身的短处，正如民国人士黄寿宸[①]指出的："中国古来的各种武当、少林拳法，神秘性非常浓厚，好像不是平常运动的一种。前者（洋体育）的目的是在准备开运动会时表演，而后者（武术）的目的是在准备做'风尘侠客'或'英雄好汉'。中国古来的各种拳法，今日好像嫡传者渐少，而普通人为着生活的重担，已无心要学一套武艺在身，何况'拜师傅'也不容易。"所以，中国武术必须改革更新，尤其是武术教育更应适应新时代的需要，于是出现了许禹生等人对武术教育改革的探索。

1. 许禹生初期编写武术教材的特点是体操化

民国初期的武术教材，大都是从武术中抽出若干动作，配以口令，模仿体操进行教学。一方面，当时体操已得到社会的认可，具有优势，因而武术反而要借助于体操的形式去取得认同；另一方面，体操体现了工业文明的特点，具有标准划一、便于大批量"生产"的优点，教者容易教授，学者易学、易记、易会，这是中国传统武术所不及的。

中国武术是农耕文化的产物，教学模式是小作坊式的，因此无法大批量"生产"，且"产品"呈多样性，很难复制推广，难以满足社会紧迫的需要。许禹生在《拳术教练法》中感叹："夫拳术一学为我国四千余年之国粹，而学者每感困难，望而生畏、畏而却步，致不敢问津。教者椎鲁无文，每守秘密，不肯以进功程序示人。究之自亦不知由何种方法、何种顺序，逐渐习成，一传再传，每况愈下，较之东西各种科学体操柔术递嬗日进者，不可同日语。岂拳术真不易学，盖于教授之法，未经研究也。仆学拳术有年，艰辛备尝，而所获有限，及以转授于人时，觉己之十年所学者，使生徒一年可以竟业。”当下，吸收西方体育的长处，补中国武术之短板，是民国人士面对的问题，所以民国初期，武术走体操化的道路，是有其客观原因的，也是一种无奈。

最先将武术搞成体操的是马良[2]。民国五年（1916年）九月，许禹生受教育部委派同孔廉白一起赴济南参观考察马良的“中华新武术”。许禹生认可这种新式体操，此种“新武术”很快被列为军警与学校的正式体操，风靡一时。虽然这种新式体操保有武术名称，但由于这种兵式体操缺乏传统文化的支撑，最终亦被历史淘汰。

武术体操对中国武术的影响是极其深远的，20世纪50年代出现的简化太极拳、竞赛套路等，其实都是武术体操化的产物，其滥觞于此。从此，武术体操化左右着中国武术的发展方向。

2. 运用时代语言编写武术教材

许禹生用近代文明的语言来讲深奥的道理，而不以神秘莫测的语言来解释中国武术。他用通俗的语言宣传推广中国武术，很受民众欢迎，积极推动了武术的普及。他在《拳术教练法》中言：“昔之言教育者，曰德、智、体三者已。今之新教育家，更推衍为美群诸育，故体育在教育上所占之地位，除强健身体、增人幸福之本能外，更当与德、智、美群诸育发生关系，始可谓有教育性之体育。其取用教材，初非就中外地域之区分、技能新旧之派别上加以限制也。今试就各种方面推衍拳术与诸育之必要。分论如下：第一，人生幸福上习拳术之必要；第二，国民经济上习拳术之必要；第三，学校教育上习拳术之必要；第四，审美上习拳术之必要；第五，合群竞争上习拳术之必要。”这些话语对当时国民有很大的鼓动作用。

许禹生还在《少林十二式》等教材中，特别解释了每一动作的治疗作用，如“此式可以矫正脊柱不正及上气（呼吸粗迫）、精神不振等症，并可扩张胸部，坚凝意志”“调理脾胃及腰肾诸疾”“调理三焦及消化系诸疾，如吞酸、吐酸、胃脘停滞、中气不舒、肠胃不化等疾”这样的解释宣传，是洋体育以及中国拳术都未曾有过的新鲜事。许禹生能以文明启蒙的语言来宣传中国武术的好处，讲得实在，与民众实际生活贴近，比用附会神仙、长生不老等抽象玄虚之语更直截了当，也不以抽象的修身养性作道德说教，更能为民众所接受。尤其是当时引用中西医学的基本知识，将武术与治疗疾病的功能结合起来，既时髦，又能将“强国强种”的大目标与个人自身需要结合起来，激发了国人学习武术的动机和动力。这种宣传的方法，很快被武术界广为效仿。民国时期及以后的武术书籍都会或多或少地谈及武术的治疗作用。报刊的广告中也经常可见，如“致柔拳社”“武当拳社”等招生广告中，都特别强调武术的治疗作用。

3. 吸取西方近代科学知识以指导武术的研究和教学

黄寿宸批评中国武术教育：“中国人欢喜神秘，不愧是世界上的古国，将最最平常的运动方法，玄之又玄，‘参合阴阳，神而明之’的，弄得‘怪诞不经’。教授法又神秘，‘只可以意会而不可以言传’‘知其然，不知其所以然’，所以古来的各种‘硬’‘软’拳法，大家无不另眼看待，对于‘耍拳术’者也莫测高深的另眼相看。说穿了，都是只是运动的一种。”“二者拳术所着重的是本身的理论与实践，并且向来武人轻视书本，何况中国拳法不轻易教人，只限于师徒之间，一旦中断，便无法流传下去。三者古来一道及拳法，便牵连到许多夸大无稽之画蛇添足的话，弄得神秘非常，否则好像将不成其为中国的拳法了。”黄寿宸的批评虽然有些偏颇，但不无道理。许禹生说：“向之数十语不能明者，今则一语卒可破的。余岂善于教哉。殆因曾习各种科学，讲授拳术时，昔之不易说明者，不期然而然，即假他种科学的理解说明之也。加以从学者多为知识界人士，于他种科学均有素养，自能以此例彼，根寻意味，举一反三，故能事半功倍耳。”比方说“力学，拳术不恃多力，而以善用己力为要。力学以时间与距离、速度互为消长，拳术则似经济学理论，消费少（用力少）而求效力大为条件，其运力时与力学之六种助力器，杠杆、斜面、尖劈、滑车、轮轴、螺旋均一一符合”。又如“生理解剖学，教授运动不明生理及人体构造，必致如孟子所云，戕贼杞柳，或揠苗助长，则非徒无益，而又害之。儿童何辜，受此虐刑。故教授拳术者，必明生理解剖学也”；“心理学，拳术以心意作用，运动肢体非如体操之仅事机械的运动已也……故教授斯术者，不可不知心理学也”。因此，“教授者有通晓之必要”。

如《少林十二式》的编写，每一动作都有“运动部分”“注意及矫正”的提示，如“此式为全身运动，其注意之点，为肩腕及足胫，两臂上托时，运动肩胛带，主动筋肉，为大锯筋、僧帽筋、三角筋、棘上筋、十圆筋、大胸筋等”；“行之日久，则身体自强也”。

许禹生以科学文明的思想来教授拳术，这是中国武术史上从未有过的事，开创了以现代科学来研究中国古老武术的先河。后来者如徐致一《太极拳浅说》、吴志青《太极正宗》、宋史元《太极蕴真》、黄寿宸《太极拳术的理论与实际》等，也都自觉效仿运用现代科学知识来重新研究和认识太极拳。

4. 在武术教学中关怀人的精神卫生

人类文明的发展总是以关注人文精神与珍重生命为宗旨的。许禹生在“第三章教授拳术应以训育为目的”中强调：“普通教科教授之目的，不外授与知识及传与技能而已。然教授之精神，则有训育之不同，就体育教授而论，其直接目的虽在授与运动技能，然其教与之精神，则在训育儿童也。换言之，即其教育目的，非仅使被教育者明了运动方法，精于技术已也。更于被教育者之身体精神皆受良好的影响，使得自抒心裁，妙于应用。若只以习熟技术为达到目的，是拳术一科，不啻为养成艺人而设，全戾教育之本旨矣。学校体育之主旨，原在训练学生心身，养其健全精神体魄，使成完全人格者也。”比如要培养学生的“智之修养——注意、观察、记忆、思考、判断、想象；德之修养——快活、服从、果断、沉着、勇敢、忍耐、规律、协同”等，这都是过去武术不太注重的。

许禹生强调：“体育目的大别之不外身体修炼（卫生的）与精神修炼（训练的）二种。然学校体育之目的，则应以次者为主。故运动之影响于精神方面（即心理方面）虽系间接，（拳术以心意运动肢体直接修炼精神，此处盖指一般运动而言也）。但就学校体育上立论，则殊不可不重视之。盖具人格者，虽为生徒有形之身体，然所以完成此人格者，实存乎无形之精神，故以人格修养为目的之普通教育，必先注重于此。诚不易论之也。彼司运动教授者，当教授时于生徒之精神界必与以所期之影响。而学校体育，始能得良好之结果焉。”这明确提出武术教育是为了培育学生的思想品质“完成此人格者”。体育本来是指以训练为基本手段，以增强人的体质，促进人的全面发展，丰富社会文化生活和促进精神文明为目的的一种有意识、有组织的社会活动。武术也确实具有不少类似西方体育的功能，但许禹生把武术教学从一般的学艺，提高到社会教育的高度，进而注意对人的思想品质的培育，是文明的进步，比起把体育作为获取个人名利的工具的人要高尚得多。

5. 消除门派成见，倡导师德

许禹生在著作中比较注意融合各家武术之长，消除门派偏见，如在《少林十二式》中强调武术文化的共同性："拳术由来已久，至少林始集其成，融修心性、壮身、技击、舞蹈于一炉，故有虎、豹、蛇、鹤、龙五拳之创造。凡中国形而上学术中所具之刚柔捭阖、虚实动静无不包罗此五拳中。盖人与人相接之学均不能超过此理也。""内中均本科学精神，呼以口令，由浅入深，适合各门国术初步之用，少林可用，武当拳亦可用，洵为初入国术门者，不可越级之练习书也。"他在解释某一动作时，也比较注意各派武术的融合，如"双推手式"下面注解"原名出爪亮翅式……，形意中之虎形、八卦之双撞掌、太极拳之如封似闭、岳氏连拳之掌舵式，盖均取法于此……，五禽经之虎、鸟二形，亦与此相近"。从中看出他在努力树立中华大武术的概念。

中国武术的传承，历来强调"一日为师，终身为父"的人身依附关系，只强调学生的责任与义务，要求弟子孝亲尊师、安详恭敬、百依百顺等，却很少对老师提出具体要求。许禹生指出："欲施训育教授法于运动教科，于方法设备之先，不可不以教育者精神之感化为重。故教者之教授态度，不可不讲求焉。从来东洋习俗卑视劳动，学校生徒于体育教科一项，鲜有得此科目的而加之意者。此虽社会趋势使然，亦由体育教师之不得其人，常以兵士武弁担任体操教席，以粗野拳师，或江湖卖技者流担授国技。而新式之体育教员，又习尚外表，重游戏、事竞赛、喜博虚名，于体育之真正目的毫不了解，自欺欺人，互相标榜，招学生之轻视非尽无因。求能知识体育，诚恳指导，从事于训育的教授者，殆真凤毛麟角也。体育之信仰，虽基于教师之精神的感化，然教师之技术亦不可轻。盖技术者，即精神之客观的发现，深足以动生徒也。教师心情温和，态度优美，技术精良，每莅操场以身作则，模范以示学者。曰盍为吾所为乎，则学者未有不受其感化力者。盖运动教科之教授，贵知行合一，言行一致，空言训育，不如实际表示，得达教授之目的也。运动教科关于此点，与伦理修身等教科最为接近，体操游戏式武术之诸教科，关系德育岂偶然哉。教师除当教授之际，于自己之举动态度常注意外，日常行事之间，务贵处处实际尚活泼，戒粗野，贵敏捷，戒轻躁，恭礼仪，而戒因循。”“学校体育之主旨，原在训练学生心身，养其健全精神体魄，使成完全人格者也。”“彼司运动教授者，当教授时于生徒之精神界必与以所期之影响。”此要求是为人师表的条件的具体化。当年，对武术教师能提出如此要求，有如此卓识者，仅许禹生一人也。

6. 在武术改革同时注重对传统文化的传承与保护

诚然，事物总是一分为二，有利必有弊。西方体育如此，中国武术亦如此；西方文化如此，传统文化亦是如此。武术教育不改革不行，不舍去传统文化中的糟粕、盲目自负不行，不吸收西方文化中优秀的东西不行，但一味崇洋媚外而迷失自己也不行。许禹生面对这些问题，做出了智慧的选择。

在北京体育研究社初创、也是体育强势进驻学校，急需拿出新的武术教材来之际，许禹生赞同武术体操化，那时似乎也没有别的路可走。但是，体操与体操化的武术毕竟不具有深厚的文化，诚如张士一[③]在 1931 年 7 月所写：“余行早操二十余年，所取尽系西法，近三四年间，始以太极拳代之非偶然也。余初习斯术于程君志道，即觉其别有奇趣，非西式体操所能望其项背。”武术对外来文化的吸收，必须是以保持自己文化为前提的，不能把在悠久历史中积淀形成的文化个性和价值系统消融到西方体育中去，从而丧失自己内在精神与文化记忆，交出自觉的价值标准，去模仿别人的文化样式。

许禹生编排了《罗汉行功法》《少林十二式》《太极拳单式练习法》等体操式的教材。像罗汉拳、少林拳这类刚性的拳术，配上口令是很容易与体操相融的，“编成《少林十二式》一书，用作习国术者之基本功夫”。然而像太极拳这类的拳术，配上口令则与武术的传统文化、与太极拳的理念不相吻合，似乎是非驴非马。所以许禹生特在其所编《太极拳单式练习法》中加入“注意”“应用”或“功用”等文化因素，避免使拳术变成单纯体操。许禹生多次明白说明，这种仿照体操的编排，只是“适合高级小学、初级中学之教材”“各门国术初步之用”。他能坦白地让学者明白，这种体操式的拳术只是初级入门，并不是拳术的全部。许禹生这种实事求是的态度，防止了过度拔高这类初级拳操而迷失武术本真的现象的出现，这对保护传统文化是有其积极意义的。

如果许禹生只是编写《少林十二式》《太极拳单式练习法》《罗汉行功法》等体操式的教材，那么他在武术史上的地位，不值得多加关注。但许禹生能在武术体操化的同时，意识到保护传统武术文化的重要，让习武者在洋体育前面不至于丢失自我，这是非常难得的。许禹生紧接着整理编写《太极拳势图解》，把太极拳的完整套路、推手，把释名、动作、要点、注意、应用等一一标明，并对太极拳的理论做了通俗的注解，“惟旨在阐发拳理，竖立行功入手之阶梯”。《太极拳势图解》是一本较为完整的太极拳教材，也是中国历史上第一本正式的太极拳教材。许禹生编写的《太极拳势图解》，出版后受到社会的热捧，十多年中不断再版，以致洛阳纸贵，正如王新午所说“三十年来，流传遍海内，非当时初料所及也”。在编写《太极拳势图解》之后，1939 年，他又整理了《太极拳》（即《陈氏太极拳第五路》）一书。

许禹生开整理出版中国武术书籍之先河，对后世中国武术书籍的出版做了良好的示范。民国时期大批武术书籍相继出版，是中国武术史上前所未有之盛况。这也反映了民国人士在面对西方文化、西方体育时，既敞开胸怀，又保持自己的文化自信，竭力保护中华传统武术。许禹生的种种努力令人尊敬，也奠定了他武术教育家的地位！

当然许禹生也有不足的地方，对传统文化坚守的同时，又受时代的局限而流于迷信，如关于太极拳创始人等问题，以及对宋书铭的传说不加考证就广为传播，虽然他在 20 世纪 30 年代对此已有所觉悟（可参见唐豪与许禹生的通信[4]），但这一谬语流传已成为民国武术书的时髦标配，以讹传讹，至今影响着武术史的研究。民国人士除了唐豪、徐震等人外，黄寿宸也在《太极拳术的理论与实际》中批评：“此类关于中国拳法之道听途说的故事。太极拳也据说在唐代已有，那么张三丰只是一个能手而已。元时（也有说清初）有王宗岳，著有‘太极拳论、太极拳解、行功心解、总势歌、推手歌’等，据说能得张氏的直传，很有些功夫。流传到今日的，除许多‘怪诞不经’的传说之外，学太极拳的人常取王氏的论著来‘意会’，希望有所心得。在历史上是否真有张氏、王氏其人，是否生在宋末元初，是否本领超越，是否有论著流传，一者中国历史所着重的是正统，这些‘左道邪术’只是小说家之言，说者说之，是否可靠便很难考证。”

从农耕社会发展而来的传统武术本身是一个瑜瑕互见的复杂文化体。其中既蕴藏着前人的智慧精华，也裹挟着历史积尘，这就必须在对它进行深刻理性把握基础上进行扬弃和创造性转换，如不善于批判否定，传统武术就无法实现其时代转型。当然，许禹生这一缺陷是他所处的时代所致，这些与他对中国武术所做的贡献相比，白玉微瑕。

四、《陈式太极拳第五路》的历史价值

《陈式太极拳第五路》的价值，简言之，它是中国武术的一块“活化石”，是研究陈式太极拳的一份珍贵的历史文献。

“陈氏太极拳第五路”据说已失传百余年，1939 年，经著名武术教育家许禹生与陈发科一起“挖掘”整理成《太极拳》一书。但由于历史的原因，这套“化石标本”又被尘封起来。

一个偶然的机会笔者发现了这套“标本”。2014 年 4 月，笔者在整理《顾留馨日记》时，看到顾老 1957 年 11 月 20 日的日记中记有“唐豪寄赠许禹生《陈氏太极拳第五路》《中国体育史参考资料第一辑》”数语，便对“陈氏太极拳第五路”发生了兴趣。因为几十年来从未听到有“陈氏太极拳第五路”的存在。笔者就此询问顾元庄先生，家中是否藏有《陈氏太极拳第五路》，顾元庄回答是没有。笔者又向朋友圈内求助，但他们的回答也都是没有，疑为绝版云云。正在笔者感到寻找此书无望时，顾先生戏剧性来电：“书已找到，书名是‘许禹生先生编《太极拳》’。”此书封面至封底一共只有十多页纸，夹

在书堆之中很不显眼，这也是上次没有找到的原因。

许禹生编的这本《太极拳》，不仅稀少珍贵，而且内有唐豪、顾留馨的手迹，他俩在书上做有若干标注，也使此书更有文史价值。

笔者在翻阅这本《太极拳》（即《陈氏太极拳第五路》）时突发奇想：这么一本珍贵的资料，如果只是摆放在书柜中当作一般的藏书，是十分可惜的，应该让更多的人知道，让更多的爱好者去研究。能否让这“陈氏太极拳第五路”从平面的文字，复活成图文并茂又能习练的套路？正如习近平主席所说：“让收藏在博物馆里的文物、陈列在广阔大地上的遗产，书写在古籍里的文字都活起来。”笔者在与朋友的聊天中表达了这种想法，立即得到了胡开宸先生的赞同。胡先生提出由他来尝试陈式第五路的“译制”演示。

2014 年 5 月，笔者将此书交给胡开宸。起初胡先生以为有了许先生书中的动作说明，依样画葫芦是不难将“第五路”演示出来的，而事实上复原“陈氏第五路”是非常困难的一件事。唐豪也曾经说过：“第五路太极拳共与 56 个势名，动作说明极简单，仅 15 页，很难摹练，故至今未闻有传习者。”此话不假，至今即使是在陈家沟，也未能见到有“陈氏第五路”的传习者。胡开宸先生在研究的过程中碰到许多困难，屡屡卡壳难以继续，但他锲而不舍，历时一年，初步将这第五路演示了出来，又经一年的琢磨修改，终于能将套路完整演示出来。然而笔者对这样的“图解”仍未满意，离心目中的陈式拳尚有一定距离。

事有凑巧，笔者曾拜访李福妹、陈俊彦等多位上海武术家，了解了陈照奎来上海传授陈式太极拳的经过始末。1959 年，顾留馨受国家体育运动委员会委托编写五式太极拳，为了方便《陈式太极拳》的编写，顾留馨将陈照奎借调到上海来，以便在《陈式太极拳》的写作中对比动作。1960 年 2 月 2 日，陈照奎来到上海体育宫。当年顾留馨忙于编写太极拳教材，又常去北京中南海教拳，分身乏术，故委托丁金友⑤向陈照奎学习拳艺，其中包括顾留馨和唐豪都曾关注的陈氏太极拳第五路。顾留馨为了将陈式太极拳留在上海，让陈照奎先在上海武术队开班传授陈式太极拳，培养上海教练员。顾留馨还安排陈照奎与丁金友同住一室，一方面，让丁金友在生活上多照料陈照奎；另一方面，丁金友很聪明有过目不忘的特长（当年的他已经学会各门武术套路近百种，有“武术活字典”之美誉），他与陈照奎相处三年多，几乎学会了陈照奎的所有套路。据蔡龙云、王培琨、邱丕相、虞定海等武术家评价说：“丁金友已学到陈照奎 95% 的功夫。”

于是在 2015 年 7 月 13 日，笔者与顾元庄陪同胡开宸一同拜访老武术家李福妹女士，并向她展示了这套“陈式太极拳第五路”。李老师对我们的尝试和研究给予了鼓励，也提出了一些改进意见。李福妹老师谈及这“陈式第五路”时回忆说：“顾留馨安排丁金友跟陈照奎学拳，叮嘱丁金友务必将陈照奎的拳艺全都学到手，要为陈式太极拳在上海的推广培养出自己的教练。”丁金友不负顾留馨的期望，他继承了陈照奎的大部分武艺，这一套第五路拳也有幸得以传承。当年陈照奎将这套“陈式太极拳第五路”传授于丁金友、李福妹，但因受多次政治运动影响，这套“陈式太极拳第五路”再次束之高阁，后来当丁文军、王伟星将去日本教拳，丁金友就将这套“陈式太极拳第五路”作为备用套路传授给他们。这次我们的“考古挖掘”歪打正着，唤起了李福妹、丁文军和王伟星的记忆，他们照着拳谱回忆当年陈照奎及丁金友的教授与演示，也将第五路重新完整地复原了出来。

我们复原了“陈氏太极拳第五路”，由衷地向中国武术教育家许禹生、陈发科、唐豪、顾留馨，以及陈照奎、丁金友表示敬意。1938年，许禹生为挖掘中华武术遗产，保护中华传统文化，努力与陈发科一起做了文化抢救工作。1939年，许禹生在《太极拳》绪言中说：“先将十三式第五路架子编成付印，俾世之研究太极拳术者，得有所本，是余之志愿也。”顾留馨在获得唐豪赠书后，曾与李剑华、沈家桢、陈照奎讨论过《陈式太极拳第五路》，并在书上五处做了6个标注。顾老曾有将这“陈式太极拳第五路”做进一步整理的打算，但因各种因素所限，顾老这一武术梦未能如愿。今天，幸亏有顾元庄先生无私的奉献，才使“陈氏太极拳第五路”拳谱重见天日；也幸亏有胡开宸的尝试，才引出李福妹、丁文军、王伟星的回忆，重新将“陈氏第五路”按陈照奎的演示复原出来。大家的努力使中华文化中的一个宝贵的“化石”得以保存和复活，也实现了许禹生和顾留馨的心愿。

“陈式太极拳第五路”与现在流行的太极拳有很多不同，它确实比较刚烈威猛。第五路共有56式，其中提到“拳”字的有29个式子，占全套一半以上，这在太极拳的套路中是很少见的，如“十字拳”“护心拳”“披身锤”“指裆锤”“七星锤”“弯弓射虎（拳）”“抽身四平拳”“回身探马拳”“转身腰拦锤”“左右大肱拳”“颠步连珠炮”等，还有蹬脚、分脚、十字腿、摆连腿，以及“小擒打”“卧虎肘”“拗步左右搧打”等招式。凶猛的招式如“金刚献杵式”须将地板震得轰轰作响；“转身腰拦锤：屈左肘，伸掌横拦置左膝上，正拍右肘，肘尖作响”，也非常威风；“掩肘洪拳：洪者大也，此拳在拳路中最大努力，故曰洪”，是须拼命用力的。这对太极拳“用意不用力”的理念，简直是颠覆。因此，“陈氏太极拳第五路”的价值，在于它是中国武术的一块“活化石”，它是太极拳原始的套路之一，这对研究“陈氏太极拳”演变很有帮助。随着人们对中华传统文化的重视，这套拳谱必将会引起武术研究者的兴趣，这也是许禹生努力保存中华传统文化的意义所在。

五、《少林十二式》的历史价值

许禹生在“北京体育研究社呈教育部请规定武术教材文”中归纳了“少林十二式”的特点：“①动作简单。十二式动作与体操无异，甚为简单，合于运动生理，初习拳术者最为适宜。②姿势正确。依图作解最为明显，学者细加玩索，姿势上易于正确。③便于教授。教授者每以拳术种类繁多，不易取择，十二式意简而赅，于拳术之普通动作略备，于教授上最为适宜其运动作势，纯以心意为主，倘工夫纯熟，再得善拳术者为之讲解，则发着应用，处处胜人，为习拳之成始成终者也。”

“少林十二式”的定位是：“适合高级小学、初级中学之教材。教授体操或国术者均可采用。”“方今中央提倡体育，教育部特设体育补习班于首都，召集全国专家研习其中，以事宣传，而广国术之推行，余不揣鄙陋，将所编之《少林十二式》列为国术初级课程，并贡献拙著以为讲义，尚望海内贤豪进而教之，则幸甚矣。”

如果单从拳术的角度来看“少林十二式”，则过于简单，难以引起武术爱好者的兴趣，因为现在的武术套路不胜枚数，有所谓传统的套路、新编竞赛套路，真真假假让人眼花缭乱，与之相比，许禹生编写的《少林十二式》就显得有些单薄，也只是将体操与导引术简单混合而已。

但是，将这几套拳操，包括“罗汉行功法”“太极拳单式练习法”等，放在清末民初的大背景下去研究，这几套拳承载的是历史，反映了民国初期的武术文化，是中国武术体操化的初始，因此有其历史价值，有研究的必要。

回顾历史，“少林十二式”的出现是时代的需要。当时的中国社会，对西方体育的进入是抱欢迎而不是对抗的态度。而中国武术由于义和团运动，以及军事上的两次战败，在西方体育面前连陪衬的资格都已没有。西方体育进入中国后十多年，由于中西文化的不同，在推行过程中暴露出种种问题，使中国武术有了重生的转机。由于有识之士对中国传统文化的执着坚持，使武术成了中西体育竞争的一种选择。民国时期，革命志士与教育界知识精英，如蔡元培、许禹生等人呼吁：中国武术同样也是最好的体育，更适合中国国情，也应该进入学堂。经国民政府批准，武术在中国历史上第一次正式进入社会教育体系，终于为武术赢得一席之地，同时也催生了许禹生的《太极拳单式练习法》《罗汉行功法》《少林十二式》《拳术教练法》等一批武术教材的出现。

许禹生是开启中国武术体操化的鼻祖，又是努力保护中国传统武术文化的教育家。许禹生编著的《太极拳单式练习法》《少林十二式》《罗汉行功法》，使体操化的武术推广到中小学校。许禹生将武术体操化，影响着中国武术的发展方向，特别是20世纪五六十年代，简化太极拳的广泛推广以及各种竞赛套路的涌现，使武术体操化达到登峰造极的地步，以致一度体操化的武术垄断了中国武坛，形成“一家独放，一枝独秀”的局面，而传统武术少有问津。

黄寿宸曾指出：“前曾有人根据太极拳的原理，而创设所谓‘太极操’的运动。以为太极拳的拳式太复杂了，理论太深奥了，非普通人使能在短时间内学得会、学得成，于是将太极拳简易化了而成‘太极操’，并且又有所谓‘太极棒’‘太极球’的发明。若将‘太极操’作为太极拳的入门，也未始不是一种通俗化的办法，若将‘太极操’来代替普通学校中的四肢体操，也未始不是一种进步及表示对‘太极拳’的提倡，不过这种种是不能算对太极拳的本身有任何贡献。”

武术体操化虽然有利于武术的推广普及，有利于人民的身体体质的提高，但此过程忽略了对传统文化的保护，使真正的传统武术失去了本来的面貌，也对传统文化的传承带来不小的负面影响。因此，在今天重新研究许禹生的武学思想仍有一定现实意义，这也是“少林十二式”的历史价值。

六、中国武术既要顺应时代潮流，又不能丢失自我

一百多年来，中西文化的碰撞与交融从来没有停止过，全球化使世界文化越来越联为一体，但全球一体化不是文化同质化的过程，也不是为“走向世界”而去趋附强势文化的单一模式，而是在保持民族文化个性基础上的“兼蓄并收”。民族文化遗产的特质就在于其独特性而不是普泛性，如果一定要削足适履地用所谓的“国际惯例”去裁判自己的文化，那也就只能是取消自身存在的理由。而近几十年来，我们面对中西文化的碰撞，面对土洋体育的交融，采取的是消极应对的态度。武术所谓的与“国际接轨”，也只是走洋体育的路子。在这过程中，我们已经迷失了自我，丢失了自己民族的传统文化，严重缺乏文化自信力。

20世纪50年代，我们一切向苏联“看齐”，体育以苏联劳动卫国体育制度（劳卫制）马首是瞻。中国武术也立马被清理整顿，在批判武术“唯技击论”的风潮下，国家对武术进行了彻底的体育化改造。

国家体育运动委员会推出“24式简化太极拳”，为武术树立了体操化样板，并作为中国武术向体育化发展的样板。国家体育运动委员会部分官员说“武术就是体操”“太极拳就是长拳慢打”，如此之类的话语不胜枚举，影响了中国武术的发展方向。中国武术就在这种认知的引领下，丢弃了中国传统文化，向体操化、杂技化、舞蹈化的方向奔跑，武术健身、强身的概念被娱乐、养生所取代，可惜的是我们国人的体质并没有因此而变得强壮。我们虽然摘掉了“东亚病夫”的帽子，但健康素质指标远远落后于发达国家，有数亿人处于亚健康状态，“强种”的梦远没有达到。

当今的武术并不是“继承不足，发展有余”，而是根本没有得到好好继承。武术立足点为“术”，是一种用以应对肢体冲突的特定实用技术体系，不是用单纯的体操可取代。这些年来在商品经济的裹挟下，武术又崇尚西方商业化体育的暴力格斗，再一次迷失自我。传统文化是中华民族的精神湿地，也是中华民族凝聚力的重要源泉，也是中华武术的“灵魂”，丢掉了“灵魂”的中华武术，已无“强国强种”的价值可言。

我们有着将武术打入奥运会、将武术推向世界的梦想，这梦是美好的。但中国武术始终没有取得话语权，我们体操式的武术被讥讽为“穿着唐装的体育，拿着刀枪剑棍的体操”，并不被奥委会接受，因为体操化了的武术已不能代表中国特有的文化，丢掉了中华武术之根，也就失去进入奥运会的理由。传统文化是一个民族的固有标志，中国武术一旦丢了自己的传统文化，那么它也失去了存在的理由。

借鉴历史，借鉴前人，是推动文明进步的不绝动力，所以，重新研究民国初期的武术史，研究许禹生等前贤在面对中国武术与西方体育碰撞的时候，他们所做的探索与研究，仍然有着现实的意义。

注释

① 黄寿宸：生于1917年，卒于1991年，浙江温州人，我国著名会计学家、教育家。1941年，黄寿宸毕业于上海沪江大学会计系，毕业后留校任教，后又在杭州之江大学任讲师，曾在上海挂牌担任注册会计师职务。1949年后在中国人民大学财政信贷系从事会计学教学和科研工作，并担任教研室主任。1961年，调东北林业大学历任林业经济系教研室主任、副教授、教授。生前还担任中国会计学会理事、中国审计学会理事、黑龙江省会计学会副会长、黑龙江省审计学会副会长、《林业财务与会计》总编等职务。

② 马良：1911年，马良在山东发起编辑武术教材活动。1914年，他在济南编写了《中华新武术》。1916年9月，教育部派北京体育研究社总干事许禹生同孔廉白赴济南参观考察马良镇守使武技队。1917年，陆军部定中华新武术为军警必学之术，同年全国中学校长会议决定"以中华新武术列为全国各中学的正式体操"。在第四次全国教育联合会上，通过"以中华新武术列为全国高等以上各学校并各门学校之正式体操的建议"。1918年秋，经国会反复辩论表决，通过以"中华新武术"定为全国正式体操的建议。以拳脚科为例，全套动作共24式。中华新武术虽然便于武术的普及，但兵操色彩过重，只偏重于肢体运动，缺少中华传统文化的支撑，难免显得内容单调，曾经热闹一时的中华新武术，逐渐被新旧体育之争的浪潮淹没，终于夭折了。

③ 张士一：生于1886年，卒于1969年，江苏吴江人。1901年入上海南洋公学，后入美国哥伦比亚大学师范学院深造，获硕士学位。回国后，在南京高等师范学校（现南京大学）等单位历任副教授、教授等职。他从事教育工作63年，培养了大批优秀人才，桃李遍及海内外。他又是我国新体育的奠基人之一，提出德、智、体三育并重，并发表《职务上多坐者之体育》一文，首创10分钟

体育操（即今课间操）等。

④ 唐豪与许禹生的通信：可见于唐豪《行健斋随笔》第 20 页。“1930 年我（唐豪）曾和许禹生通信讨论过辛亥革命以后出现的宋书铭太极功及张三丰道家与太极拳的来历问题。许禹生在复信中承认：‘假托以自神其说，而不知其弊，足以混淆听闻，令人莫知究竟。’当时往来的信件，曾经公开刊出，这就是过去我和张三丰‘发展成为太极功’的争论。”

⑤ 丁金友：武林名宿，历任上海市武术队总教练、国家武术队高级教练、上海中华武术会会长、上海市武术队顾问和专家组成员等职。1958 年入选上海市武术队，并于 1959 年代表上海队参加第一届全国运动会，获团体冠军；1963 年任上海市青少年体校武术总教练；1969 年担任上海市武术队主教练，培养的多名优秀运动员都获得了全国冠军和世界冠军；1985 年被国家体委授予“新中国体育开拓者”称号；1989 年被评为上海市武术优秀教练员；1992 年、1996 年两次获得国家体委颁发的“全国体育训练先进工作者”和“中华人民共和国体育运动荣誉奖”奖章和奖状；1998 年，出任中国武术队高级教练，并带团出征第四届世界武术锦标赛，荣获 6 块金牌，获得国家体委颁发荣誉奖。他曾先后七次出访日本和西欧五国讲学传拳，桃李满天下。

李福妹是丁金友的爱人，上海中华武术会荣誉总教练。1958 年荣获全国武术运动会拳术、器械二项目一等奖；1959 年获全国青少年武术运动会青年组全能冠军；第一届全运会上海武术队团体冠军和短器械剑第五名；1960 年在全国武术运动会上获女子全能冠军、长拳和器械第一名。在以后各类武术比赛中，收获的奖状、奖章不胜枚举。1994 年，李福妹被评为首届“中国武林百杰”人物。李福妹曾参加中国武术代表团，跟随周总理出访捷克、缅甸等国。

丁文军是丁金友长子，著名武术家，曾受聘于全日本太极拳联盟担任中国武术教练。现任上海闵行区武协常务副会长、上海金友武悦堂传统武术俱乐部董事长。

許禹生先生编

太極拳

伊時閣題

太极拳 第五談

許禹生編

頤留盤庵手藏

唐豪自北京寄赠

一九五七年十月吉

顾留馨

太極拳緒言

年來研究陳氏太極拳術，自覺頗有心得。陳氏拳，家傳原有三種：太極長拳，太極砲拳，太極十三式架子是也。十三式共有五路，多失傳，現能演之拳，僅爲十三式中之頭路；與楊氏所傳大致相同，而稍有出入，暨砲拳一路，（陳氏現名之爲第二路）統計所存不過兩路，餘僅存拳譜而已。至陳長興先生之長拳一路，有山西洪洞縣樊君爲之繪圖立說，改名通臂拳，數典忘祖，頗可婉惜。又秋曾與陳氏後人研究，將所失傳之五路，一一照譜爲之推演，并參以戚南塘三十二長拳套勢，重譜拳路，加以說明，先將十三式第五路架子編成付印，俾世之研究太極拳術者，得有所本，是余之志願也。

練習架子，當先事開展，以靈活關節，順遂筋肉，（如習書者之先寫大字，以明其橫平，竪直，點，撇，鈎，捺，並得練腕力、筆力，轉折肩架，是也。練筆畫放大，於字之轉折處，起筆落筆處，均易看清，均易摹仿，均易用筆，是也。如力透中央，旋轉如意）繼乃力求收縮緊湊，俾勁能蓄而後發，由中達外，庶收放在我，發必中的，所謂放之則彌六合，卷之則退藏於密也，至勢高則骨節靈活，利於運轉，勢矮則肌肉收縮常致拘攣，非功深者不能自如，故勢應先高後低，俾下肢所負之力，處之裕如，則運用不致遲滯。

庶能節節貫串。

太極拳運勁，先柔後剛，先慢後快，質量調均，虛實分淸，行動陡重陡輕，輕似鵝毛，重若太山，樁步穩固，動靜咸宜，靜時如處女，動時如脫兔。氣之鼓盪，如水上行舟，精神照澈，如貓之捕鼠。老子曰「其猶龍乎」，斯可以語太極拳也夫。

太極拳於應用上，可分四點：1.走化，2.擒拿，（指拿人的勁，非專拿人骨節）3.驚擊，4.擲發（亦曰跌），四者是也。至於練法，於姿勢之展舒捲縮，則有大架小架之別，於身段高低，則有上中下三盤之分，於運勁，則有抽絲、纏絲、綿冷、剛柔之不同，於轉變，則有折疊、進退、快慢、續斷之岐異，於步法，則有原地行步跳躍之區分，於造詣淺深，則有用力、用着、用勁、用氣、用神五者之程序。必於行動坐臥時刻存心，須臾莫離，運有工夫，始可稱之爲練。必心到神隨，乃能每一動作，悉中肯綮，始可謂之成功。必得心應手，純任自然，不假顧盼擬合，始可謂之懂勁。非如他拳可一蹴而就也。學者，或淺嘗輒止，或僅得一偏，便自滿足，其不貽笑於人者幾希。時爲己卯（一九三九年）夏編於體育研究社中。

己卯

許禹生謹識

太極拳

許禹生編

預備式　（1）直立開左足與肩齊，兩臂下垂，雙手貼兩側，作掌下按。（2）雙臂向前平抬，高與肩齊，兩腿下蹲。（3）虛左足雙臂橫直（左小臂豎起手心向內橫屈，右肱反腕手心向外）後撤。（4）左膝前弓，橫屈左肱前揮。（5）進右步右手撩陰掌。

金剛獻杵式　左臂橫屈胸前，掌心上仰，提回右足，屈右臂手作拳，隨右腿收回，橫肘下擊，拳背落左手心上。

懶扎衣式　（1）兩掌上下分開，名指天劃地。（2）虛右足向後，足尖點地，成丁虛步樁，右臂右外下纏，左臂內上纏，手腕相搭作十字手。（3）出右腿作弓箭步樁，左手插腰，右手伸臂坐腕前切。

六封四閉式　（1）左手前伸，引右手。（2）屈雙臂，掌心向上，坐身左後撤。（3）翻雙掌向右前方下按。（4）左腿跟上半步，作丁虛樁步。

5

單鞭式 (1)右臂伸直，手作勾形，左回身，左手心向內，循右臂經雙肩，屈肱出肘，時爲丁虛樁步。(2)左臂立掌伸開，左膝前屈，右腿伸直，作左弓箭步樁。

6

護心拳 (1)右手作掌，掌心向上，隨身左傾，運臂左側至心窩爲度，成右丁八步樁，即作摟右膝式下降。(2)左手握掌，隨身右傾，上抬經頭右側方下降，置右膝內下按，成右丁八步樁。(3)運右臂上抬，屈肱，作拳，置右額前，作騎乘式樁步。

7

分水式 (1)自前式，右手下落變掌，搭左腕上，當心作平十字手式，手心向下，騎乘步樁。(2)雙臂外展，手左右分，雙腿隨之下蹲，至兩臂成一直線形爲度。

8

前蹬拗步 (1)左手摟膝。(2)右腿直前上步，右臂隨步前伸，與肩平，作欲下摟勢，腿作丁八步樁。(3)右擰身，右手下摟，同時左手前探，作拗步掌，成弓箭步樁。

十字拳 (1)左同身，握拳，帶左臂屈胸前。(2)右手握拳，上搭，與左腕斜線形交叉，成十字拳式，作騎乘式樁步。

下翼式 (1)自上式雙臂下垂，提肘手心向外，張兩臂若鳥翼形，兩臂外展上抬至肩與手平，成一直線爲度。

臥虎肘 (1)自上式左臂翻轉內斬，至胸前中線，身右傾，成右丁八步樁。(2)屈左肱挿腰，右手仰拳，身左傾，運臂左斬，成左丁八步樁。(3)屈右肱，提肘反手作拳，拳心向外食指根節貼右眼角，身復右傾，成右丁八步樁。(4)全身向左屈側，目視左足踵，時兩肘尖與左脚後跟成一直線，名臥虎肘。

披身鎚 (1)全身復正，拳變掌，舒右臂，由頭右方向右直伸，以與肩平爲度。(2)右手復作拳下降，至左膝蓋裏方時，身又隨拳左傾，成右丁八步樁。(3)右拳翻轉上抬，自左上方隨向右下方猛擊，至拳與肩水平爲度。(時拳心向上)

13 **顚步連珠砲** (1)收右臂如前(2)勁，提右腿右轉身，右拳外撥下擊，收至拳位。(2)顚右脚落地，同時提起左腿，作獨立式，左臂從身後隨身向上高舉，拳鋒向前，作欲擊之勢。

14 **指膽錘** (1)落步向前，成斜騎乘式樁，右拳左掌相搭胸前，成十字手形，(2)下分手如前下勢式。(3)左手摟膝，右拳自腰際向前下斜方立拳下指點，左手插腰肘尖與右臂成一直線，作大弓箭步樁。

15 **轉身七星拳** (1)扣左足，右後轉身，左手作拳，屈抱胸前。(2)後撤右步，右拳隨身收回，肘貼右肋。(3)點左脚成鈎馬步，左拳仰拳，自右肱內穿出，伸至與鼻端齊，大指轉至向上爲度，右拳置左肘下，雙臂均微屈。(4)此式以兩臂各三節，連同脖項爲七，左臂彎如斗柄，右臂屈圈胸前，臂之斗杓故名七星也。

16 **彎弓射虎式** 一名當頭砲。(1)雙臂(仍作拳)，右後運平伸，拳眼向上，左脚踵着地。(2)左腿後退一步，雙拳自後右方，經頭右側，向前伸展，左拳前伸，屈右肱，右拳背食指根節，置右眼角，雙目前平視，作右弓箭樁步。

抽身四平拳 (1)左回身，雙臂後搬，左臂後伸上起，經頭左側向前下撇，圈回，經過胸前，右臂自左臂內屈肱仰拳轉腕作螺旋形打出，左臂後撤，收回拳位，拳肩膝步，四者相平，故曰四平。

回拳雁翅式 (1)右前回身上步，作弓箭步樁。(2)左掌自右腋下穿出，左臂循左胯上平抬前伸，掌心外向，右臂提肘反掌置於頭右上方。左勢同前。

回身探馬拳 (1)由前式左回身，左手外捋，握拳歸左肋下拳位，仰手心作拳。(2)右手外纏回撤，由右肋下經左肩前循左臂出拳，垂肩墜肘，屈肱橫小臂，斜攔向前，腕部較肘高起，肘彎成鈍角，陰(少陰)拳，拳心斜向外下方，拳正當鼻部，若牽馬繮繩然，斂前左足點地，蹲後右腿作丁虛步樁。

20 躍步抹眉肱　（1）由前式出左步踏地，舒右肱右拳變掌。（2）躍右步同時右掌前穿，成右弓箭步樁。

21 轉身腰攔肘　（1）左腿後撤半步，左轉身成右丁八步樁，右後坐身，屈右肱半張，左肱對左膝上。（2）以右腰眼之力，弓左膝蓋，送右肘橫擊左肱內方，屈左肱伸掌橫攔置左膝上，正拍右肘，肘尖作聲。

22 左右大肱拳　（1）兩手作拳，運臂斜上下分，左拳向左下方，右拳向右上方一開。（2）左臂轉昇向左上方頭側高舉，翻拳上架，右臂屈肱握拳，順纏下降，至與雙乳齊平時，向左肋左肘下方向橫擊，（[illegible]）合勁，右足同時提起，目左上視，是爲左大肱拳。

又（1）右足落地，右臂右上舉，護頭部。（2）左肱下降，屈肘橫擊右肋肘下，提左腿隨之，以助其力，是爲右大肱拳。

23 拗步左扇式　應作攔。（1）由上式左腿隨左臂向後撤，足心落地。（2）作右弓箭步樁，右臂提肘握拳，向膝前自裏外撥，小臂膀宜豎起，提肘與地平，作垂直。(3)左臂伸直，以掌向右橫擊敵面部，右拳歸位，擰腰以助其力。

24 **拗步右扇式** (摟)(1)自前式上左步，作左弓箭步樁，左臂提肘，小臂垂直，摟右膝。(2)右臂伸直，以掌橫擊敵面部，同時左手歸拳位，擰腰以助其力。

25 **右埋伏式** (1)自右扇式兩手作拳，兩臂左右分展，右臂向右前上方伸開，左臂同時向左後下方伸展。(2)雙臂復各內運下垂，至腹前交叉相搭，左臂在上。(3)左腿向右方橫邁一步，成左弓箭樁步，同時兩臂分開，左臂向左後方伸直，拳與肩平，右臂自左肱內掏出，作曲尺形，拳心向內，對右耳上方，小臂膀垂直高舉，大臂膀自肘尖處與左臂水平成一直線，右肘彎處爲直角。(4)左腿下蹲，屈右膝跪地，迴首目視左拳。

26 **左蹬脚** (1)右脚向左後方微挪移，雙臂內抱，兩腕相搭成十字手形。(2)

右脚心着地，同時分張兩臂，起身提左足前蹬。

27 **左埋伏式**

(1)左轉身，左足向左後方落步，左臂隨之下垂，右臂搭於左臂上。(2)右腿橫邁一步，至左腿前，左臂沿胸前臂出上舉，右臂由下方向右平伸，如左式。(3)右腿蹲屈，左腿跪地廻首目視右拳。

28 **右蹬脚**

(1)左脚挪移，提右脚起身前蹬，均如前之左式，惟左右相異耳。

29 **順步連珠砲**

(1)身體半面轉右，右腿收回顛脚着地，收右臂屈肱作拳，立肘外撥，同時收右腿，右足顛地。(2)左腿隨右腿着地時，提膝躍起，高舉左臂，如第一個連珠砲式。

30 **掩肘洪拳**

(1)左足前落，成一斜向騎乘式，兩手右拳左掌，相搭胸前。(2)蹲身下坐，同時兩手向下左右分展，抬至與肩水平，手心轉上。(3)左手作拳，漸漸收回拳位，右臂屈肱作拳，拳心向下，掛耳作欲擊勢。(4)右拳經左掌心，覆拳伸臂，直前擊打，左肘尖沿肋後掣，并弓左膝以助右拳前擊之力，成左弓箭步椅。(5)洪者大也，此拳在拳路中爲最大努力，故曰洪，又左肘尖掩肋彎回，故曰掩肘。

31 **收步右分脚** （1）自洪拳式，右足前跟半步，抵左足後，雙腿下蹲，兩臂相抱於胸前，成十字手。（2）起身提右足向右分踢，兩臂同時向左右分展。

32 **左轉擺連腿** （1）左後轉身，收右足下落置左足前，雙腿下蹲，兩臂收回，成十字手。（2）起身提左腿，外擺，向前落地，同時收回雙臂，內抱搭成十字手，（左上右下）。

33 **雀地龍式** 一名切地龍，又名一堂蛇。（1）右蹲身，左腿伸直，成半仆叉椿步，仰右手作拳，向頭後右側方伸穿，同時左臂循左腿內側下伸，左掌掌鋒向下經左足腕前穿。（2）弓左膝，身隨之起，或作護肩掌亦可。（3）再蹲身換做如前。

34 **金鷄獨立式** （1）由前雀地龍式，弓左膝起立，仍作半蹲式，右足尖點左踵內側，兩臂胸前相搭，左橫右竪，作欲上穿之勢。（2）左腿直立，右手由左肱內向上穿提，小臂膀上翻轉上托，左臂垂伸，橫拳貼左胯下按。

35 丹鷄撲地式 (1)自前式右臂下垂。(2)蹲身雙手拍地。

36 朝天燈式 亦作蹬。(1)雙手向左平運，若揉球然。(2)左手順纏，翻手自右肱內穿出，隨提左膝，反左拳覆頭上左側方曲肱上托。

37 倒捻肱 倒者退步後行，捻者轉肘骨也。(1)左臂下落，屈肘貼左肋下腰際，手心向上，右臂自頭後上舉，纏轉屈肱下降，手貼右耳側，作前推下合勢。(2)左腿隨左臂後運時，同時後退，成右弓箭步樁，同時右掌經過左手心，右臂向前伸直，左臂隨亦向後伸直。

38 白鶴展翅式 (1)自上式倒捻肱式，退至左腿在前時坐身，左臂內收外轉，右手從頭後向前一合。(2)右臂協同左臂，左後擺，左腿隨向左後方撤一步。(3)隨即左臂翻掌上揚，向左斂右足，右手上搭左臂。(4)右足略一點地，復向右前方開半步，右臂自左臂內方抽出，右上揚至頭右上方，屈肱斜展，同時左臂向左下方分展，至離左胯傍約尺餘手掌心內捲斜下撥，左臂向內一收，至離右足半尺，足尖點地。(5)兩臂，上揚，下展，參差如仙鶴之舒展其翼，故名白鶴展翅云。

39

摟步斜行式

(1)左足踵落實，右臂左運，經頭左側方下垂，手至左膝蓋外，向裏勾摟，收回右胯傍。(2)左足前進半步，左臂上舉，經過頭右側方下降，至左膝內方向外摟左膝蓋，圈轉左臂復經過左胯側方，左足前出半步，手作勾形，上抬至腕與肩水平時，腕向左後方停住。(3)右臂內廻掌護左肩，復向右前方伸展，坐腕揚指，以掌鋒前推，臂微屈肘節與左臂成直線，坐腕掌前伸掌鋒向前，食指對鼻，腿成左弓箭步椅。

40

琵琶式

(1)兩臂收回，左手在前，右手在後，參差相抱，若持琵琶，故名。(2)左脚收回，足踵略提，雙腿蹲屈，成長三椅步。

41

扇通臂

(1)由上式左足踵落實，足尖裏扣，坐身雙手向右下方後攏至右腕近右腿根小腹側。（2）繼上動，雙手運轉上舉，經頭左側上方過頭頂下降，向左後方下攎，身隨步轉，左足後撤一步。

42 側騎龍式

（1）左手攎至左胯尖時，即伸臂後展，再彎轉上升，經頭頂向前橫臂下擨，同時右手自左肱內仰掌前穿。（2）繼上動左手向左胯傍橫擨下按，距離左胯尺餘停住，同時左足前進一步成丁虛步椅，頭左後顧視。

43 運手

一名雲手。（1）左臂自內下方用順纏勁揮肱向外上方運展，至頭上左側方，右腿隨之提起，右臂隨左臂由上而下，而內，停至左胯前扣拳下按，是爲左式運手。（2）右足隨左臂擠步下落，同時提左腿，右臂順纏，高舉如左式，左右運行，其次數多寡，視場地大小爲準，總以單數爲度。

44 前分手

（1）由上式行至左式運手時，拌右步，右腕上搭左腕，成十字手式，作騎乘式椅步，掌心內向。（2）雙臂由前方左右分掙掌心向外以展至兩臂成一直線爲度。

45 高探馬式

(1)自上式雙臂將展至一直線時，同時左臂屈肱後撤至拳位，掌心向上，右小臂屈肱上抬轉腕，掌心向前指尖擦右耳斜掌前推。(2)左腿後退一步，左足足尖點於右腿之後，約離六寸許，同時右臂下展，由頭後方上升，轉至頭右上側方，前伸經左掌心一合，仍前舒展，若在馬上持繮繩狀，是謂高探馬式。

46 小擒打

(1)左手自右肋下揷出，左腿前進半步，轉身半面向右，右臂上展，手掌貼右額角上。(2)右臂後下運展，復向左臂肘下前按，同時左足再進半步，左臂上架，至左額角上，手心向外，右足亦隨右掌前進半步，以助按捺之力。

47 回身十字腿

(1)右回身向後雙臂相搭爲十字手，左手在上。(2)提右腿向外擺踢，以左掌拍擊右足外側方。

48 摟膝指膽鎚

一名指點鎚。(1)落右步身右後轉，右手摟膝。(2)上左步，左手向外摟膝，左手揷腰。(3)右手作拳，置右腰際拳位，仰拳拳心向上，藉腰左轉，并左膝前弓之力，右臂伸拳拳心漸轉向內(左)向斜下方點擊，臂與地約成四十五度角度，腿作左弓箭步樁。

49 猿猴獻果式 (1)自前式探身，兩臂各由外方作拳，向內上抄抱，兩拳距離約與肩齊，雙肱迴屈向內，兩拳上舉，拳與頭頂相齊，臂彎處約成直角，作右弓箭步樁。

50 六封四閉式 (1)自上式左迴身下蹲，屈雙臂，左後下攊。(2)復右迴身雙臂自後上昇，蹲身雙手下按，左腿收回半步，足尖點地，距右足踵後約六寸。

51 單鞭式 見前

52 上步七星式 (1)左臂內搬迴屈胸前。(2)上右步向前，右拳自右，循右肋經左臂彎內，向前衝打，拳心斜上仰，食指二節，正對鼻端，左拳屈肱置右肘下，右足尖點地，成鈎馬步樁。

53 **退步跨虎式**　（1）左臂腕上搭右腕，翻轉前推，（即左腕轉至右腕下，伸掌前推也）。（2）雙腕反轉收回，仍相搭胸前，雙掌心貼胸上捧。（3）退右步，回身面後，雙臂分開左上右下，若展翅跨虎式。（1）右回身，左腿向左前方上跨一大步，左掌下按，左膝上。（2）右臂高舉，反掌覆頭右側上方，作寬大的左弓箭步樁。

54 **雙擺連腿**　（1）提右腿，由左方向右擺踢。（2）兩臂高舉，由頭左側方經過頭頂，至頭右側方，雙手前伸，自右向左拍右足背。（3）右腿下降，落於右後方。

55 **彎弓射虎式**　見前

56 **金剛獻杵式**　見前

陳兩儀堂本、陳氏拳械譜 [illegible]

中華民國二十八年五月初版
一九三九年己卯年
✡每册定價叁角✡

編纂者 許禹生
校訂者 白竹波
發行者 體育研究社 西單西斜街五號
印刷者 京城印書局 和平門內北新華街

許禹生先生編

太極拳

伊時閣題

太极拳第五路

许禹生编　顾留馨藏

唐豪自北京寄赠

一九五七年十一月廿日

顾留馨

按：以上文字均由顾留馨亲笔题写。

《太极拳》目次

《太极拳》绪言

年来研究陈氏太极拳术，自觉颇有心得。陈氏拳，家传原有三种：太极长拳，太极炮拳，太极十三式架子是也。十三式共有五路，多失传，现能演之拳，仅为十三式中之头路；与杨氏所传大致相同，而稍有出入，暨炮拳一路（陈氏现名之为第二路），统计所存不过两路，余仅存拳谱而已。至陈长兴先生之长拳一路（注一），有山西洪洞县樊君为之绘图立说，改名通臂拳，数典忘祖，颇可惋惜（注二）。去秋曾与陈氏后人研究（注三），将所失传之五路，一一照谱为之推演，并参以戚南塘三十二长拳姿势（注四），重谱拳路，加以说明，先将十三式第五路架子编成付印，俾世之研究太极拳术者，得有所本，是余之志愿也。

练习架子，当先事开展，以灵活关节、顺遂筋肉（如习书者之先写大字，以明其横平、竖直、点、撇、钩、捺，并得练腕力、笔力，转折肩架，是也。缘笔画放大，于字之转折处，起笔落笔处，均易看清，均易摹仿，均易用笔，是也。如力透中央，旋转如意），继乃力求收缩紧凑，俾劲能蓄而后发，由中达外，庶收放在我，发必中的，所谓放之则弥六合，卷之则退藏于密也。至势高则骨节灵活，利于运转，势矮则肌肉收缩常致拘挛，非功深者不能自如。故势应先高后低，俾下肢所负之力，处之裕如，则运用不致迟滞，庶能节节贯串。

太极拳运劲，先柔后刚，先慢后快，质量调均，虚实分清，行动陡重陡轻，轻似鹅毛，重若太山，桩步隐[①]固，动静咸宜，静时如处女，动时如脱兔。气之鼓荡，如水上行舟；精神照澈，如猫之捕鼠。老子曰："其犹龙乎[②]"。斯可以语太极拳也夫。

太极拳于应用上，可分四点：①走化；②擒拿（指拿人的劲，非专拿人骨节）；③惊击；④掷发（亦曰跌），四者是也。至于练法，于姿势之展舒卷缩，则有大架、小架之别；于身段高低，则有上、中、下三盘之分；于运劲，则有抽丝、缠丝、绵冷、刚柔之不同；于转变，则有折叠、进退、快慢、续断之歧异；于步法，则有原地、行步、跳跃之区分；于造诣浅深，则有用力、用着、用劲、用气、用神五者之程序。必于行动坐卧时刻存心，须臾莫离，运有工夫，始可称之为练。必心到神随，乃能每一动作，悉中肯綮[③]，始可谓之成功。必得心应手，纯任自然，不假顾盼拟合，始可谓之懂劲。非如他拳可一蹴而就[④]也。学者，或浅尝辄止[⑤]，或仅得一偏，便自满足，其不贻笑于人者几希。

时为己卯（一九三九年[⑥]）夏编于体育研究社中。

许禹生谨识

（注一）长拳一百零八势传到陈长兴时期在陈家已失传，陈氏拳家已专精于太极十三势第一路及太极炮捶，余仅存谱。许老在此序中称“陈长兴先生之长拳”，盖未深考。

（注二）长拳一百零八势于清乾隆年间由河南镖师郭永福传入山西省洪洞贺家庄。1936年，樊一魁著《忠义拳图稿本》（洪洞县荣仪堂石印，有光纸，分装8册），将此拳逐势绘图，势名与歌诀和《陈氏拳械谱》所载相同，惟错别字较多，虽已改名为“通背拳”，实为陈王廷所创在陈家沟已失传之拳套。今洪洞县高公村仍有人会练，但有重复拳势动作多处，显为日久有传误之处。

（注三）许老此处所谓“陈氏后人”乃指其师陈发科。据与许同时向陈老师学拳的李剑华（1890—1963年）语我：许老初从杨澄甫学太极拳，后邀陈发科于1928年10月去北京授拳，许氏与沈家桢、李剑华亦从学。后来陈老师子照旭来京，与许推手，功力相等，但半年以后，照旭能将许打出，许遂认为陈老师授子认真，心颇怏怏。故虽为陈老师谱写已失传之第五路拳套，而不称又其名。殊不知照旭被陈老师规定每日须练拳（第一路和第二路炮捶）两次，每次须连续练拳十遍，再加上练推手、器械等，故功夫突飞猛进。许氏不从此点做比较，故心怀不满。

（注四）指戚继光《纪效新书》所载《拳经》三十二势图诀。

（注五）此书名《太极拳》，许禹生编，北京体育研究社发行，1939年5月初版，定价3角。全书共17页，每页13行，每行35字，版面字数为7735字。序2页。第五路太极拳共56个势名，动作说明极简单，仅15页，很难摹练，故至今未闻有传习者。

（注六）徐震《太极拳考信录》（1937年初版），从陈子明提供的《陈氏拳械谱》旧抄本（陈两仪堂本）所录“五套拳歌”为36势，第一式为懒插衣，第二式为单鞭，第36式为当头炮。

按：以上六条注解是唐豪与顾留馨私人通信中所言，注释时全文抄录，未做删改。其中（注一）（注二）（注三）（注四）直接标在书上，注解中谈及李剑华、许禹生、陈发科等人的情况，可供研究参考。

注 释

① 隐：据唐豪标注，应为“稳”字。

② 其犹龙乎：众弟子问孔子道：“先生拜访老子，可得见乎?”孔子道：“见之!”弟子问：“老子何样?”孔子道：“鸟，我知它能飞；鱼，吾知它能游；兽，我知它能走。走者可用网缚之，游者可用钩钓之，飞者可用箭取之，至于龙，吾不知其何以？龙乘风云而上九天也！吾所见老子也，其犹龙乎？学识渊深而莫测，志趣高邈而难知；如蛇之随时屈伸，如龙之应时变化。老聃，真吾师也!”许禹生用“其犹龙乎”形容太极拳如蛇之随时屈伸，如龙之应时变化，神明渊深而莫测，志趣高邈而难知。

③ 悉中肯綮：典出《庄子·养生主》。悉中，全部击中。肯綮，音 kěn qìng，是指筋骨结合的地方，比喻事物的关键。用于形容这位庖丁的技艺高超。后比喻解决问题的方法对，方向准，切中要害，找到了解决问题的好办法。

④ 一蹴而就：亦作“一蹴而成”“一蹴而得”。出自宋·苏洵《上田枢密书》：“天下之学者，孰不欲一蹴而造圣人之域。”比喻事情轻而易举，一下子就成功。

⑤ 浅尝辄止：指不深入钻研，略微尝试一下就停下来。

⑥ 一九三九年：此五字是唐豪用钢笔标注。

太极拳

一、预备式①

(1) 直立开左足与肩齐，两臂下垂，双手贴体侧，作掌下按（图1）。(2) 双臂向前平抬，高与肩齐，两腿下蹲（图2）。(3) 虚左足，双臂横直（左小臂竖起，手心向内横屈，右肱反腕，手心向外）后搌（图3）。(4) 左膝前弓，横屈左肱前挥（图4）。(5) 进右步，右手撩阴掌（图5）。

图1　预备式（1）

图2　预备式（2）

图3 预备式（3）

图4 预备式（4）

图5 预备式（5）

注 释

① 预备式：起势动作，虽然许禹生采用体操预备式的名称，但仍然按传统武术的起势要求站立，两脚与肩同宽，手垂两侧，作掌下按，并不是体操势两脚并立、手指指地、虎口向外。这一细小动作上体现了传统武术与体操的差异。

此预备式的（2）（3）（4）（5）动作，与顾留馨、沈家桢著《陈式太极拳》第一路第二式“金刚捣碓”动作一、动作二相同。

二、金刚献杵式[①]

左臂横屈胸前，掌心上仰（图6），提回右足，屈右臂手作拳（图7），随右腿收回，横肘下击，拳背落左手心上（图8）。

图6　金刚献杵式（1）

图7　金刚献杵式（2）

图8　金刚献杵式（3）

注释

① 金刚献杵式：此式动作与陈子明《陈氏世传太极拳术》《太极拳精义》第二式“金刚捣碓”相似，与《陈式太极拳》第一路第二式“金刚捣碓”有所不同，是后者动作之三。这是因为招式中的动作划分归属不同。

三、懒扎衣式①

（1）两掌上下分开，名指天划地（图9）。（2）虚右足向后，足尖点地，成丁虚步桩，右臂右外下缠，左臂内上缠，手腕相搭作十字手（图10）。（3）出右腿作弓箭步桩，左手插腰，右手伸臂坐腕前切（图11）。

图9　懒扎衣式（1）

图10　懒扎衣式（2）

图11　懒扎衣式（3）

注释

① 懒扎衣式：此式动作较现行陈式拳简略。

四、六封四闭式[①]

（1）左手前伸，引右手（图12）。（2）屈双臂，掌心向上，坐身左后搬（图13）。（3）翻双掌向右前方下按（图14）。（4）左腿跟上半步，作丁虚桩步（图15）。

图12　六封四闭式（1）

图 13　六封四闭式（2）

图 14　六封四闭式（3）

图 15　六封四闭式（4）

注释

① 六封四闭式：此式动作较现行陈式拳简略。

图 16　单鞭式（1）

五、单鞭式

（1）右臂伸直，手作勾形（图 16），左回身，左手心向内，循右臂经双肩，屈肱出肘，时为丁虚桩步（图 17）。（2）左臂立掌伸开，左膝前屈，右腿伸直，作左弓箭步桩（图 18）。

图 17　单鞭式（2）

图 18　单鞭式（3）

六、护心拳

（1）右手作掌，掌心向上，随身左倾，运臂左削至心窝为度，成右丁八步桩（图 19、图 20），即作搂右膝式下降。（2）左手握掌[1]，随身右倾，上抬经头右侧方下降，置右膝内下按，成右丁八步桩。（3）运右臂上抬，屈肱，作拳，置右额前，作骑乘式桩步（图 21）。

图 19　护心拳（1）

图 20　护心拳（2）

图 21　护心拳（3）

注 释

① 掌：根据上下文意，应作“拳”。

七、分水式

（1）自前式，右手下落变掌，搭左腕上，当心[1]作平十字手式，手心向下，骑乘步桩（图 22）。（2）双臂外展，手左右分，双腿随之下蹲，至两臂成一直线形为度（图 23）。

图22　分水式（1）

图23　分水式（2）

注释

① 当心：指胸前心窝处。

八、前蹚拗步

图24　前蹚拗步（1）

（1）左手搂膝（图24）。（2）右腿直前上步，右臂随步前伸，与肩平，作欲下搂势，腿作丁八步桩（图25）。（3）右拧身，右手下搂，同时左手前探，作拗步掌，成弓箭步桩（图26）。

图 25　前蹚拗步（2）

图 26　前蹚拗步（3）

九、十字拳

（1）左回身，握拳，带左臂屈胸前（图 27）。（2）右手握拳，上搭，与左腕斜线形交叉，成十字拳式，作骑乘式桩步（图 28）。

图 27　十字拳（1）

图 28　十字拳（2）

十、下翼式

自上式双臂下垂，提肘，手心向外（图29），张两臂若鸟翼形，两臂外展上抬至肩与手平，成一直线为度（图30）。

图29　下翼式（1）

图30　下翼式（2）

一一、卧虎肘

（1）自上式左臂翻转内斩，至胸前中线，身右倾，成右丁八步桩（图31）。（2）屈左肱插腰，右手仰拳，身左倾，运臂左斩，成左丁八步桩（图32）。（3）屈右肱，提肘反手作拳，拳心向外，食指根节贴右眼角，身复右倾，成右丁八步桩（图33）。（4）全身向左屈侧，目视左足踵，时两肘尖与左脚后跟成一直线，名卧虎肘（图34）。

图 31　卧虎肘（1）

图 32　卧虎肘（2）

图 33　卧虎肘（3）

图 34　卧虎肘（4）

一二、披身锤

（1）全身复正，拳变掌，舒右臂，由头右方向右直伸，以与肩平为度（图35）。（2）右手复作拳下降，至左膝盖里方时，身又随拳左倾，成右丁八步桩（图36）。（3）右拳翻转上抬，自左上方随向右下方猛击，至拳与肩水平为度（时拳心向上）（图37）。

图35　披身锤（1）

图36　披身锤（2）

图37　披身锤（3）

一三、颠步[①]连珠炮

图38　颠步连珠炮（1）

（1）收右臂如前（2）动（图38），提右腿右转身，右拳外拨下击，收至拳位（图39）。（2）颠右脚落地，同时提起左腿，作独立式，左臂从身后随身向上高举，拳锋向前，作欲击之势（图40）。

图39　颠步连珠炮（2）

图40　颠步连珠炮（3）

注释

① 颠步：单脚起跳，类似篮球运动中垫步。

一四、指裆锤

图41　指裆锤（1）

（1）落步向前，成斜骑乘式桩，右拳、左掌相搭胸前，成十字手形（图41）。（2）下分手如前下翼式（图42）。（3）左手搂膝，右拳自腰际向前下斜方立拳下指点，左手插腰，肘尖与右臂成一直线，作大弓箭步桩（图43）。

图42　指裆锤（2）

图43－A　指裆锤（3）
背面图

图43－B　指裆锤（3）
正面图

一五、转身七星拳

（1）扣左足，右后转身，左手作拳，屈抱胸前（图44）。（2）后撤右步，右拳随身收回，肘贴右肋（图45）。（3）点左脚成钓马步，左拳仰拳，自右肱内穿出，伸至与鼻端齐，大指转至向上为度，右拳置左肘下，双臂均微屈（图46）。（4）此式以两臂各三节，连同脖项为七，左臂譬如斗柄，右臂屈圈胸前，譬之斗杓，故名七星也。

图44　转身七星拳（1）

图 45　转身七星拳（2）

图 46　转身七星拳（3）

图 47　弯弓射虎式（1）

一六、弯弓射虎式

一名当头炮。(1) 双臂（仍作拳)，右后运平伸，拳眼向上，左脚踵着地（图 47)。(2) 左腿后退一步，双拳自后右方，经头右侧，向前伸展，左拳前伸，屈右肱，右拳背食指根节，置右眼角，双目前平视，作右弓箭桩步（图 48、图 49)。

图 48　弯弓射虎式（2）

图 49　弯弓射虎式（3）

一七、抽身四平拳[1]

左回身，双臂后搌（图 50），左臂后伸上起，经头左侧向前下搬，圈回，经过胸前（图 51），右臂自左臂内屈肱、仰拳、转腕作螺旋形打出，左臂后撤，收回拳位，拳肩膝步，四者相平，故曰四平（图 52）。

图 50　抽身四平拳（1）

图 51　抽身四平拳（2）

图 52　抽身四平拳（3）

注 释

① 四平拳：戚继光《纪效新书》中三十二式拳经，四平式前后三见，即中四平、高四平、井栏四平。“中四平式实推固，硬攻进快腿难来，双手逼他单手，短打以熟为乖”；“高四平身法活变，左右短出入如飞，逼敌人手足无措，凭我便脚踢拳锤”；“井栏四平直进，剪臁踢膝当头，滚穿劈靠抹一钩，铁样将军也走”。四平式攻守皆备。

一八、回峰雁翅式

（1）右前回身上步，作弓箭步桩。（2）左掌自右腋下穿出，左臂循左胯上平抬前伸，掌心外向，右臂提肘反掌置于头右上方（图53、图54）。左式同前（图55、图56）。

图53　回峰雁翅右式（1）

图54　回峰雁翅右式（2）

图 55　回峰雁翅左式（1）

图 56　回峰雁翅左式（2）

一九、回身探马拳

（1）由前式左回身，左手外搌（图 57），握拳归左肋下拳位，仰手心作拳（图 58）。（2）右手外缠回撤，由右肋下经左肩前循左臂出拳，垂肩坠肘，屈肱横小臂，斜拦向前，腕部较肘高起，肘弯成钝角，阴（少阴）拳，拳心斜向外下方，拳正当鼻部，若牵马缰绳然，敛前左足点地，蹲后右腿作丁虚步桩（图 59）。

图 57　回身探马拳（1）

图58　回身探马拳（2）

图59　回身探马拳（3）

二十、跃步抹眉肱

（1）由前式出左步踏地，舒右肱，右拳变掌（图60）。（2）跃右步，同时右掌前穿，成右弓箭步桩（图61）。

图60　跃步抹眉肱（1）

图61　跃步抹眉肱（2）

二一、转身腰拦肘

（1）左腿后撤半步，左转身成右丁八步桩，右后坐身，屈右肱平张，左肱对左膝上（图62）。（2）以右腰眼之力，弓左膝盖，送右肘横击左肱内方，屈左肱，伸掌横拦置左膝上，正拍右肘，肘尖作声（图63）。

图62　转身腰拦肘（1）

图63　转身腰拦肘（2）

二二、左右大肱拳

（1）两手作拳，运臂斜上下分，左拳向左下方，右拳向右上方一开（图64）。（2）左臂转升向左上方头侧高举，翻拳上架，右臂屈肱握拳，顺缠下降，至与双乳齐平时，向左肋左肘下方向横击，（一合劲）右足同时提起，目左上视，是为左大肱拳（图65）。

又（1）右足落地，右臂右上举，护头部（图66）。（2）左肱下降，屈肘横击右肋肘下，提左腿随之，以助其力，是为右大肱拳（图67）。

图64　左大肱拳（1）

图65　左大肱拳（2）

图66　右大肱拳（1）

图67　右大肱拳（2）

二三、拗步左扇（应作“搧[①]”）式

（1）由上式左腿随左臂向后撤，足心落地（图68）。（2）作右弓箭步桩，右臂提肘握拳，向膝前自里外搂，小臂膀宜竖起，提肘与地平，作垂直（图69）。（3）左臂伸直，以掌向右横击敌面部，右拳归位，拧腰以助其力（图70）。

图68　拗步左扇式（1）

图69　拗步左扇式（2）

图70　拗步左扇式（3）

注释

① 搧：原著注作“搧”，即以手掌搧打敌人面部。俗称“左右开弓”“打耳光”。此式在太极拳中不多见。

二四、拗步右扇式

（1）自前式上左步，作左弓箭步桩，左臂提肘，小臂垂直，搂右膝（图 71 ）。（2）右臂伸直，以掌横击敌面部，同时左手归拳位，拧腰以助其力（图 72）。

图 71　拗步右扇式（1）

图 72　拗步右扇式（2）

二五、右埋伏式

（1）自右扇式两手作拳，两臂左右分展，右臂向右前上方伸开，左臂同时向左后下方伸展（图 73）。（2）双臂复各内上垂，至腹前交叉相搭，左臂在上（图 74）。（3）左腿向右方横迈一步，成左弓箭桩步，同时两臂分开，左臂向左后方伸直，拳与肩平，右臂自左肱内掏出，作曲尺形，拳心向内，对右耳上方，小臂膀垂直高举，大臂膀自肘尖处与左臂水平成一直线，右肘弯处为直角（图75）。（4）左腿下蹲，屈右膝跪地，回首目视左拳（图76）。

图73　右埋伏式（1）

图74　右埋伏式（2）

注：正面照可参见图79

图75　右埋伏式（3）

图76　右埋伏式（4）

二六、左蹬脚

(1) 右脚向左后方微挪移，双臂内抱，两腕相搭成十字手形（图77）。(2) 右脚心着地，同时分张两臂，起身提左足前蹬（图78）。

图77　左蹬脚（1）

图78　左蹬脚（2）

二七、左埋伏式

(1) 左转身，左足向左后方落步，左臂随之下垂，右臂搭于左臂上（图79）。(2) 右腿横迈一步，至左腿前，左臂沿胸前臂出上举，右臂由下方向右平伸，如左式（图80）。(3) 右腿蹲屈，左腿跪地，回首目视右拳（图81）。

图 79　左埋伏式（1）

图 80　左埋伏式（2）

图 81　左埋伏式（3）

二八、右蹬脚

左脚挪移，提右脚起身前蹬，均如前之左式，惟左右相异耳（图 82、图 83）。

图 82　右蹬脚（1）

图 83　右蹬脚（2）

二九、颠步连珠炮[①]

(1) 身体半面转右，右腿收回颠脚着地，收右臂屈肱作拳，立肘外拨，同时收右腿，右足颠地（图84）。(2) 左腿随右腿着地时，提膝跃起，高举左臂，如第一个连珠炮式（图85）。

图84　颠步连珠炮（1）

图85　颠步连珠炮（2）

注 释

① 颠步连珠炮：此式同第十三式。如此重复跳跃动作，也是陈式太极拳第五路的一个特点。

三十、掩肘洪拳[①]

(1) 左足前落，成一斜向骑乘式，两手右拳左掌，相搭胸前（图86）。(2) 蹲身下坐，同时两手向下左右分展，抬至与肩水平（图

87)，手心转上。(3) 左手作拳，渐渐收回拳位，右臂屈肱作拳，拳心向下，挂耳作欲击势（图88）。(4) 右拳经左掌心，覆拳伸臂，直前击打，左肘尖沿肋后掣，并弓左膝以助右拳前击之力，成左弓箭步桩（图89）。(5) 洪者，大也，此拳在拳路中为最大努力，故曰洪，又左肘尖掩肋掣回，故曰掩肘。

图86－A 掩肘洪拳（1）

背面图

图86－B 掩肘洪拳（1）

正面图

图87 掩肘洪拳（2）

图88 掩肘洪拳（3）

图89 掩肘洪拳（4）

注释

① 掩肘洪拳：陈子明称“演手红捶”（今名掩手捶）。现行陈式拳称“掩手肱捶”。“洪”“红”“肱”三字音相近，含义却不同。此处“洪”有洪荒、努力，即洪荒之力之意。正如许禹生强调：“洪者，大也，此拳在拳路中为最大努力，故曰洪。”因此，“洪拳”表示陈家拳的刚烈，并留有外家拳痕迹。

三一、收步右分脚

（1）自洪拳式，右足前跟半步，抵左足后，双腿下蹲，两臂相抱于胸前，成十字手（图90）。（2）起身提右足向右分踢，两臂同时向左右分展（图91）。

图90　收步右分脚（1）

图91　收步右分脚（2）

三二、左转摆连腿

（1）左后转身，收右足下落置左足前，双腿下蹲，两臂收回，成十字手（图92）。（2）起身提左腿（图93），外摆（图94），向前落地，同时收回双臂，内抱搭成十字手（左上右下）（图95）。

图92　左转摆连腿（1）

图93　左转摆连腿（2）

图94　左转摆连腿（3）

图95　左转摆连腿（4）

三三、雀地龙式

一名切地龙，又名一堂蛇。（1）右蹲身，左腿伸直，成半仆叉桩步，仰右手作拳（图96），向头后右侧方伸穿，同时左臂循左腿内侧下伸，左掌掌锋向下经左足腕前穿（图97）。（2）弓左膝，身随之起，或作护肩掌亦可（图98）。（3）再蹲身换做如前（图99）。

图96　雀地龙式（1）

图97　雀地龙式（2）

图98　雀地龙式（3）

图99　雀地龙式（4）

三四、金鸡独立式

（1）由前雀地龙式，弓左膝起立，仍作半蹲式，右足尖点左踵内侧，两臂胸前相搭，左横右竖，作欲上穿之势（图 100）。（2）左腿直立，右手由左肱内向上穿提，小臂膀上翻转上托，左臂垂伸，横拳贴左胯下按（图 101）。

图 100　金鸡独立式（1）

图 101　金鸡独立式（2）

三五、丹鸡扑地式[①]

（1）自前式右臂下垂（图 102）。（2）蹲身双手拍地（图 103）。

图 102　丹鸡扑地式（1）

图 103　丹鸡扑地式（2）

注释

① 丹鸡扑地式：此式在现行太极拳中不多见。武术中扑地式，往往是背后受敌攻击，身子前扑时，以脚后踢，反败为胜之术。而此处是乘势将敌扑倒下按之用。

三六、朝天灯（亦作“蹬”）式①

（1）双手向左平运，若揉球然。（2）左手顺缠，翻手自右肱内穿出（图 104），随提左膝，反左拳覆头上左侧方，曲肱上托（图 105）。

图 104　朝天灯式（1）

图 105　朝天灯式（2）

注 释

① 朝天灯式：灯，原著注“亦作蹬”。此式左手上举如擎朝天灯。“朝天灯”谐音“朝天蹬”，如作“朝天蹬”，须左脚向上蹬过头顶，如京剧中武生动作，难度较大，且技击意义不明确，故仍作“朝天灯”。

三七、倒捻肱[①]

倒者，退步后行，捻者，转肘骨也。（1）左臂下落，屈肘贴左肋下腰际，手心向上，右臂自头后上举，弯转屈肱下降（图 106），手贴右耳侧，作前推下合势。（2）左腿随左臂后运时，同时后退，成右弓箭步桩，同时右掌经过左手心，右臂向前伸直，左臂随亦向后伸直（图 107、图 108）。（附倒捻肱右式图 109、图 110、图 111 ）

图 106　倒捻肱左式（1）

图 107　倒捻肱左式（2）

图 108　倒捻肱左式（3）

图 109　倒捻肱右式（1）

图 110　倒捻肱右式（2）

图 111　倒捻肱右式（3）

注释

① 倒捻肱：现写作“倒卷肱”。此式视场地大小可重复做，一般连续做单数。

三八、白鹤展翅式[①]

（1）自上式倒捻肱式，退至左腿在前时坐身，左臂内收外转，右手从头后向前一合（图 112）。（2）右臂协同左臂，左后攦，左腿随向左后方撤一步（图 113）。（3）随即左臂翻掌上扬，向左敛右足，右手上搭左臂（图 114）。（4）右足略一点地，复向右前方开半步，右臂自左臂内方抽出，右上扬至头右上方[②]，屈肱斜展，同时左臂向左下方分展，至离左胯傍约尺余，掌心向后斜下按，左足向内一收，至离右足半尺，足尖点地（图 115）。（5）两臂一上扬一下展，参差如仙鹤之舒展其翼，故名白鹤展翅云。

图 112　白鹤展翅式（1）

图 113　白鹤展翅式（2）

图 114　白鹤展翅式（3）

图 115　白鹤展翅式（4）

注 释

① 白鹤展翅式：现称“白鹤亮翅”。

② 上扬至头右上方：由此可见“陈式第五路”动作幅度较大，有如外家拳之张扬。

三九、拗步斜行式

（1）左足踵落实，右臂左运，经头左侧方下垂，手至左膝盖外，向里勾搂，收回右胯傍（图 116）。（2）左足前进半步，左臂上举，经过头右侧方下降（图 117），至左膝内方向外搂左膝盖，圈转左臂复经过左胯侧方，左足前出半步，手作勾形，上抬至腕与肩水平时，腕向左后方停住（图 118）。（3）右臂内回掌护左肩，复向右前方伸展，坐腕扬指，以掌锋前推，臂微屈肘节与左臂成一直线，坐腕掌前伸掌锋向前，食指对鼻，腿成左弓箭步桩（图 119）。

图 116　拗步斜行式（1）

图 117　拗步斜行式（2）

图 118　拗步斜行式（3）

图 119　拗步斜行式（4）

四十、琵琶式

(1) 两臂收回，左手在前，右手在后，参差相抱，若持琵琶，故名（图120）。(2) 左脚收回，足踵略提，双腿蹲屈，成长三桩步（图121）。

图120　琵琶式（1）

图121　琵琶式（2）

四一、搧通臂[1]

(1) 由上式左足踵落实，足尖里扣，坐身，双手向右下方后攦至右腕近右腿根小腹侧（图122）。(2) 继上动，双手运转上举，经头左侧上方过头顶下降，向左后方下攦，身随步转，左足后撤一步（图123）。

图 122　搧通臂（1）

图 123　搧通臂（2）

注释

① 搧通臂：以搧、搌、采为主，与现行太极拳中“扇通背”不同。

四二、倒骑龙式

图 124　倒骑龙式（1）

（1）左手搌至左胯尖时，即伸臂后展，再弯转上升（图 124），经头顶向前横臂下搬，同时右手自左肱内仰掌前穿（图 125）。（2）继上动左手向左胯傍横搂下按，距离左胯尺余停住，同时左足前进一步成丁虚步桩，头左后顾视（图 126）。

图 125　倒骑龙式（2）

图 126　倒骑龙式（3）

四三、运手[①]

图 127　运手左式（1）

一名云手。（1）左臂自内下方用顺缠劲挥肱向外上方运展，至头上左侧方（图 127），右腿随之提起，右臂随左臂由上而下、而内，停至左胯前扣拳下按，是为左式运手（图 128）。（2）右足随左臂挤步下落，同时提左腿，右臂顺缠，高举如左式，左右运行（图 129、图 130）。其次数多寡，视场地大小为准，总以单数为度。

图 128　运手左式（2）

图 129　运手右式（1）

图 130　运手右式（2）

注 释

① 运手：亦称“云手”，与现行陈式拳中的云手有所不同，内有扣拳下按擒拿的动作。

四四、前分手

（1）由上式行至左式运手时，并右步，右腕上搭左腕，成十字手式，作骑乘式桩步，掌心内向（图 131）。（2）双臂由前方左右分挣，掌心向外，以展至两臂成一直线为度（图 132）。

图 131　前分手（1）

图 132　前分手（2）

四五、高探马式

图 133　高探马式（1）

（1）自上式双臂将展至一直线时，同时左臂屈肱后撤至拳位，掌心向上，右小臂屈肱上抬转腕，掌心向前，指尖擦右耳斜掌前推（图 133、图 134）。（2）左腿后退一步，左足足尖点于右腿之后，约离六寸许，同时右臂下展，由头后方上升，转至头右上侧方，前伸经左掌心一合，仍前舒展，若在马上持缰绳状，是谓高探马式（图135）。

图134　高探马式（2）

图135　高探马式（3）

四六、小擒打

图136　小擒打（1）

（1）左手自右肋下插出，左腿前进半步，转身半面向右，右臂上展，手掌贴右额角上（图136）。（2）右臂后下运展（图137），复向左臂肘下前按，同时右足再进半步，左臂上架，至左额角上，手心向外，右足亦随右掌前进半步，以助按捺之力（图138）。

图 137　小擒打（2）

图 138　小擒打（3）

四七、回身十字腿

（1）右回身向后双臂相搭为十字手，左手在上（图 139）。（2）提右腿向外摆踢，以左掌拍击右足外侧方（图 140）。

图 139　回身十字腿（1）

图 140　回身十字腿（2）

四八、搂膝指裆锤

一名指点锤。(1) 落右步，身右后转，右手搂膝（图 141）。(2) 上左步，左手向外搂膝，左手插腰。(3) 右手作拳，置右腰际拳位，仰拳拳心向上，藉腰左转，并左膝前弓之力，右臂伸拳拳心渐转向内（左）向斜下方点击，臂与地约成四十五度角度，腿作左弓箭步桩（图 142、图 143）。

图 141　搂膝指裆锤（1）

图 142　搂膝指裆锤（2）

图 143　搂膝指裆锤（3）

四九、猿猴献果式[①]

自前式探身，两臂各由外方作拳，向内上抄抱，两拳距离约与肩齐，双肱回屈向内，两拳上举，拳与头顶相齐，臂弯处约成直角，作右弓箭步桩（图 144）。

图 144　猿猴献果式

注释

① 猿猴献果式：现称“白猿献果”。

五十、六封四闭式

（1）自上式左回身下蹲，屈双臂，左后下搬（图 145）。（2）复右回身双臂自后上升，蹲身双手下按，左腿收回半步，足尖点地，距右足踵后约六寸（图 146）。

图 145　六封四闭式（1）

图 146　六封四闭式（2）

五一、单鞭式

（1）右臂伸直，手作勾形（图 147），左回身，左手心向内，循右臂经双肩，屈肱出肘，时为丁虚桩步（图 148）。（2）左臂立掌伸开，左膝前屈，右腿伸直，作左弓箭步桩（图 149）。

图 147　单鞭式（1）

图 148　单鞭式（2）

图 149　单鞭式（3）

五二、上步七星式

（1）左臂内搬回屈胸前。（2）上右步向前，右拳自右[①]循右肋经左臂弯内，向前冲打，拳心斜上仰，食指二节，正对鼻端，左拳屈肱置右肘下，右足尖点地，成钓马步桩（图150、图151）。

图150　上步七星式（1）

图151　上步七星式（2）

注释

① 右：此字后有一字空，疑缺字。

五三、退步跨虎式

（1）左臂腕上搭右腕，翻转前推（即左腕转至右腕下，伸掌前推也）（图 152）。（2）双腕反转收回，仍相搭胸前，双掌心贴胸上捧（图 153）。（3）退右步，回身面后，双臂分开左上右下，若展翅跨虎式（图 154）。（4）右回身，左腿向左前方上跨一大步，左掌下按，左膝上。右臂高举，反掌覆头右侧上方，作宽大的左弓箭步桩（图 155）。

图 152　退步跨虎式（1）

图 153　退步跨虎式（2）

图 154　退步跨虎式（3）

图 155　退步跨虎式（4）

五四、双摆连腿

（1）提右腿，由左方向右摆踢（图156）。（2）两臂高举，由头左侧方经过头顶，至头右侧方，双手前伸，自右向左拍右足背（图157）。（3）右腿下降，落于右后方（图158）。

图156　双摆连腿（1）

图157　双摆连腿（2）

图158　双摆连腿（3）

五五、弯弓射虎式

一名当头炮。（1）双臂（仍作拳），右后运平伸，拳眼向上，右脚踵着地（图159）。（2）左腿后退一步，双拳自后右方，经头右侧，向前伸展，左拳前伸，屈右肱，右拳背食指根节，置右眼角，双目前平视，作右弓箭桩步（图160）。

图 159　弯弓射虎式（1）

图 160　弯弓射虎式（2）

五六、金刚献杵式

左臂横屈胸前（图 161），掌心上仰，提回右足，屈右臂手作拳（图 162），随右腿收回，横肘下击，拳背落左手心上（图 163）。收势（图 164）。

图 161　金刚献杵式（1）

图 162　金刚献杵式（2）

图 163　金刚献杵式（3）

图 164　收势

按：底本末页唐豪先生用钢笔书写："陈两仪堂本，'陈氏拳械谱'五套拳歌为 36 势"。

本套路动作由胡开宸先生演示。

编纂者　许禹生

校订者　白竹波

发行者　体育研究社（西单西斜街五号）

印刷者　京城印书局（和平门内北新华街）

中华民国二十八年五月初版

每册定价叁角

光燦賢契 惠存

許禹生先生著

少林十二式

褚民誼題

行乾賢契
惠存

著者肖像

序

拳術由來已久。至少林始集其成。鎔修心性壯身技擊舞蹈於一爐。故有虎、豹、蛇、鶴、龍五拳之創造。凡中國形而上學術中所具之剛柔捭闔虛實動靜無不包羅此五拳之中。蓋人與人相接之學均不能超過此理也。惜後代繼起者偏於肌肉骨力之運使。忽於氣功精神之鍛鍊。得其剛而失其柔。無水火相濟之功。無陰陽互變之妙。常予人一種不良印象。似乎非至剛不足稱爲少林拳也。故元末之紀。隱君子張三丰先生有見於此。從而翻之。顛倒原有次序。先柔而後剛。行氣運於始。以內壯爲先。使學者不能半途而止。安於小成。蓋非繼之以剛不足以盡技擊之用也。及其成也。固無分軒輊。吾同門許君禹生。既精武當。復工少林技能。融會所長。製爲專書。以惠國人。近復本少林原有圖式。貫以武當練法。編成少林十二式一書。用作習國術者之基本功夫。內中均本科學精神。呼以口令。由淺入深。適合各門國術初步之用。少林拳可用。武當拳亦可用。洵爲初入國術門者。不可越級之練習書也。是爲序。

中華民國二十三年九月南通雒周沈家楨

凡例

一、少林十二式。每式內均含有拳術基本姿勢。習者按式練習。自能穩固樁步。靈活肢體。

一、此書圖式詳明。學者依圖自行練習。自能強健身體。調和氣血。令弱者轉強。柔者安康。有醫療體操之價值。

一、體育家每謂拳術姿勢。概爲全身運動。殊不盡然。茲體察每式主要部分。分記於後。以便編教案者之採擇。

一、此書解釋務期明顯。適合高級小學初級中學之教材。教授體操或國術者。均可採用。

一、書中用語。間有粗俚者。惟意有專指。未便更易。概仍其舊。

一、此書編撰時。由寵厚說明動作。舍姪小魯筆記。舍甥耶晋墀繪圖。至辨正姿勢。商定說明。則有石君子壽。李君劍華。蘇君紹眉等。極資輔助。並書於此。用誌勿諼。

少林十二式目次

少林十二式敍

內家祖述武當，外家祖述少林，學有淵源，方為探本，余幼喜修養之術，於內經導引，華陀五禽之書，靡所不讀，熊經鳥引，動諸關節，呼吸吐納，鍛鍊神氣，皆所以却病延年，使人難老也，然其術流傳既久，難免失眞，嗣得舊藏達摩初祖之易筋經讀之，其內壯養神氣，外壯練筋骨，幷附有站功十二勢，每勢皆有歌訣，頗具深意，習者不察，徒事皮相，模倣形式，而未悉其以心行氣，以氣運身之精意，甚可惜也，余嘗謂人身係精神與肉體二者合成，鍛鍊方法，自應本身心合一，二者兼施之旨，方能有效，俾合於近代體育上之修養，使人人得完成其人格，前在北平創辦體育學校曾採為敎材，尋復次其淺深，窺其用意，編為敎程，用授學子，習者稱便，均謂此術不惟修養身心，且所具各式可為各派拳術之基本練習，習國術者首先習此，以為基礎，無論再習何種門類，均易進步，方今中央提倡體育，敎育部特設體育補習班於首都，召集全國體育專家研習其中，以事宣傳，而廣國術之推行，余不揣鄙陋，將所編之少林十二式列為國術初級課程，幷貢獻拙著以為講義，尙

望海內賢豪進而敎之，則幸甚矣，時爲
中華二十二年夏敍於首都

燕北禹生許寵厚敍

少林十二式

緒言

世之言拳術者，多宗少林，而少林之傳，始自達摩五祖，蓋於五代之季，來居此寺，見僧徒等雖日從事於明心見性之學，（參禪靜坐以求明悟之類）然類皆精神萎靡，筋肉衰弱，每値說法入坐，卽覺昏鈍不振，殆於身心合一，性命雙修之意，尚未徹悟也。乃訓示徒衆曰，『佛法雖外乎軀殼，然未了解此性，終不能先令靈魂與軀殼相離，是欲見性，必先强身，蓋軀殼强而後靈魂易悟也。（雖係宗教家言，然與今世體育家所主張身心合一，精神與肉體同一鍛鍊之說吻合，）果皆如衆生之志靡神昏，一入蒲團，睡魔卽侵，則見性之功，俟諸何日，吾今爲諸生先立一强身術，每日晨光熹微，同起而習之，必當日進而有功也，』乃爲徒衆立一練習法，其前後左右，不過十八勢而已名十八羅漢手，（見少林拳術秘訣）後人變化增添，以作技藝，曰少林派。又嘗觀達摩大師傳岳武穆之內壯易筋經，少林寺僧多傳習之，經分上下兩卷，有內外功之別，內功主靜，鍊氣爲主，外功主動，鍊力爲主，內功程序，計分五步。(一)首積氣腹中，以爲基礎。(二)次鍛鍊前身胸肋各部，附骨筋膜，膜爲包骨白色筋層今名曰腱使氣充盈胸腹兩脅，(三)鍛鍊腰背脊骨筋膜，使氣盈脊背。(四)上體氣既用徧，深層筋膜騰起，乃導行四肢，(先上肢後下肢，其鍛鍊各法，均載原經，茲不贅述)。(五)內壯已成，方行外壯以增勇力，下卷十二勢，蓋鍛鍊外壯者也，與少林拳術之十八羅漢手大半相同，疑出一源，且十二式爲原本所無，始少林寺僧好事者增入之耳，故仍名爲少林十二式，今以其原有圖勢爲主，而參以羅漢手中運動之意，兼採拳術之各種樁步，本體操教練之法，每式編作法數節，由淺入深，由簡而繁，視各式可合作者，則爲連續之，以便教練，幷爲體察運動部分，主要骨骼筋肉，分注於下，以明運動生理，就原有歌訣，闡明其義，以喚起學者之注意，復本其姿勢動作，以求應用之所在，用作習拳術者之初步云。

凡習此功者，應先排步直立，呼濁吸清，搯腰鼓肘，此乃足肘卽膝也凝神靜氣，端正姿勢，然後行之，行時務使動作與呼吸相應，久之則氣力增長，精神活潑，實爲學拳術者成始成終之工夫，幸勿以其簡易而忽之也。

教練此法宜先依體操口令，令學生立正，次察看地勢，令全隊分作若干排，如分前後兩排，則於呼一二報名數後，發前行向前幾步走之口令，次發單數或雙數向前幾步走之口令，總以行列疏整，手足動作互無妨礙爲度，如教練直立勢，則立定後須呼脚尖靠攏之口令，然後動作。

此十二勢，直立勢居半，前數勢每勢祇一動作，依體操規例可連續爲之而成一段，以便教練，若單練一式時，則可先呼出式名，末字改呼數字，隨其動作而施口令。

第一式　屈臂平托式　原名韋駝獻杵第一式、取兩手當胸、平托一物、獻遞於人之意、亦名環拱式、又名上翼式、則因形態命名也。

（原文）立身期正直，環拱手當胸，氣定神皆斂，心澄貌亦恭。

（解曰）此爲直立式之一，作此式時，須氣沉丹田，精神內斂，心澄志一，貌自恭敬，乃正身直立，作立正式，平屈兩臂，掌心向上，自脇下循脇徐徐上托，至胸前停頓，雙腕平直，曲肱內向，環拱胸前，故曰環拱手當胸也，本此義編作法四節如後。

少林十二式　四

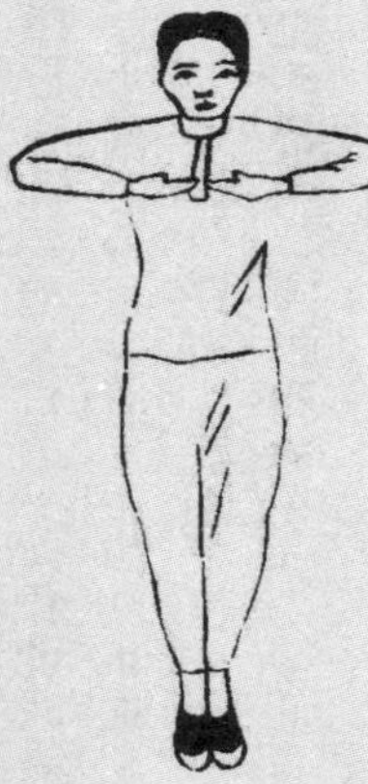

屈臂平托

兩手下按

(作法)

第一節　二動。(一)屈臂平托。(二)兩手下按。

(一)由預備式兩臂平屈，兩肘上提，使與肩平，同時兩手作掌，掌心向上，由兩脇下(軟脇處)順脇上托，指尖相對，經胸骨前至兩乳上停頓，指尖相對，兩眼平視，同時足踵提起。(二)兩掌翻轉向下，至胸窩處，分順兩脇下按，至胯傍停止，還原預備式。

第二節　四動。(一)屈臂平托。(二)橫掌前推。(三)屈臂平托。(四)兩手下按。

(一)屈臂上托與第一節(一)動同。(二)兩手翻轉向前(掌橫指對手心向前)伸臂平前推,(腕骨與肩水平) (三)兩臂收回。復(一)之姿動勢。(四)兩手下按與第一節(二)動同。

第三節　四動。(一)兩臂平屈。(二)兩臂平分。(三)屈臂平托。(四)兩手下按。

(一)由預備式兩肘上提與肩水平,同時平屈兩臂,掌心向下,指尖相對,經胸骨前,至兩乳上停頓。(二)由上動作兩臂上膊骨不動,前膊骨順水平度分向左右平開,至成一直線爲度。(三)上膊骨不動,兩臂下屈,兩掌經胸骨前上托,至兩乳上停頓如第一節(一)動姿勢同。(四)兩手下按,與第一節(二)動同。

第四節　六動。(一)兩臂平屈。(二)兩臂平分。(三)屈臂平托。(四)橫掌前推。(五)屈臂平托。(六)兩手下按。

(一)兩臂平屈,與第三節(一)動同。(二)兩臂平分,與第三節(二)動同。

(三)兩臂平托,與第三節(三)動同。(四)橫掌前推,與第二節(二)動同。

(五)兩臂屈回。復(三)之姿勢。(六)兩手下按。與第一節(二)動同。

（運動部分）　此式爲上肢運動，及肩臂運動也，主要部分，爲肩胛骨、尺骨、橈骨及所屬筋肉，屈前臂時，爲肘關節之屈曲，主動筋肉，爲二頭膊橈骨筋、內膊筋，平托時手掌外旋，則橈尺骨關節之後迴運動也，主動筋肉，爲後迴筋、膊橈骨筋，翻掌前推時，則橈尺骨關節之前迴運動也，主動筋肉，爲迴前方筋，迴前圓筋。

（注意及矯正）　本式運動，曲臂平托時，宜鬆肩勿聳，橫掌前推時，兩臂宜伸直勿屈，肩肘腕三者水平，想其力由肩，而肘，而腕，以意導之，使達於指尖爲度，兩手手指相對，掌心向前吐力，兩臂平分時，臂宜伸直與肩水平，眼平視，頸項挺直，下鄂骨內收，氣沉丹田，（即小腹）精神專注，以心意作用，運動肢體，故動作時，務宜徐緩，勿僅視爲機械的運動也。

（治療）　此式可以矯正頸項前探，脊柱不正及上氣，（呼吸粗迫）精神不振等症，並可擴張胸部，堅凝意志。

（應用）　本式橈尺骨運動，可練習太極拳之擠勁，腕之翻轉，可藉以練習擒拿法之捉腕，滾腕，盤肘等作用，例如人以兩手分握吾之雙腕，吾卽用本式第二節作法，順其下擒之力，猛翻兩掌，向敵胸前推卽解矣。

各節教練口令

第一節　屈臂平托數　一、二、

第二節　屈臂平托前推數　一、二、三、四、

第三節　兩臂平屈分托數　一、二、三、四、

第四節　屈臂分托前推數　一、二、三、四、五、六、

第二式　兩手左右平托式原名韋駝獻杵第二式。取兩臂自左右平舉、兩掌平托一物、獻遞於人之意、

（原文）足趾掛地，兩手平開，心平氣靜，目瞪口呆。

（解曰）作此式時，須先意氣和平，心無妄念，呼吸調靜，乃運動兩臂，徐徐自左右上托，（掌心向上）以腕與肩平爲度，足踵隨之提起，兩眼平視，閉口使呼吸之氣，由鼻孔出入，今本此義，編作法五節如後。

右平托式

兩臂還原

（作法）

第一節　二動。（一）兩臂左右平托。（二）兩臂還原。

（一）由立正式兩臂自左右向上平舉，俾與肩平，或較肩略同，掌心向上，同時兩踵隨之提起。(二)掌心下轉，兩臂徐徐下落，還原立正式。

第二節　三動。(一)兩臂前舉平托。(二)兩臂左右平分。(三)兩臂下落。

(一)由立正式兩足尖靠攏，兩臂垂直，由下用力向前平舉，與肩水平，掌心向上，若托物然，同時兩踵隨之提起。(二)兩臂分向左右平開，至一直線，如本式第一節(二)動之姿勢。(三)兩臂下落。還原立正式。

第三節　三動。(一)屈膝兩臂前舉平托。(二)直膝兩臂平開，(三)兩臂下落。

此節乃兼下肢運動之聯續動作也，於伸臂前托時，同時兩膝前屈，餘均同前。

(一)兩臂自下向前平舉，掌心向上，同時兩膝前屈，膝蓋靠攏，足踵不可離地，(二)兩臂分向左右平開，同時兩膝直立，足踵提起。(三)兩臂徐徐下落，足踵亦隨之落地。

第四節　四動。(一)透步交叉。(二)兩臂平托。(三)兩臂還原。(四)併步立正。

(一)左足移至右足踵後方，作透步交叉式。(二)兩臂自左右向上平托，兩踵提起，(三)兩臂兩踵還原。(四)左足併步還原立正。(一)(二)(三)(四)與(一)(二)(三)(四)式同，惟右足作透步式。

第五節　四動。(一)透步前舉。(二)兩臂平分。(三)兩臂平落。(四)併步立正。

(一)左足移至右足踵後方作透步式，同時兩臂自下向前上平托。(二)兩臂分向左右平開。(三)兩臂下落，兩踵還原。(四)左足併步還原立正。(一)(二)(三)(四)與(一)(二)(三)(四)式同，惟右足作透步式。

(運動部分)　此式爲上肢與下肢運動也，運動主要部分，爲旋肩胛骨之前後軸，及尺骨肘頭骨，其主要筋肉，左右平托起落時，爲三角筋，棘上筋、撓骨筋、小圓筋，平開時兼大胸筋之運動，前舉平托時，爲旋肩胛關節之運動，主要筋肉，更有二頭胸筋，及烏嘴轉筋、足踵提起時，即以足支持體重，放下時使足踵關節伸展也，其主要筋肉，爲後脛骨筋、比目魚筋、長足蹠筋、腓腸筋等。

(注意及矯正)　作此式時，兩臂平直，身勿欹，側脊骨中正，以頭項領起全身，腿部尤須着力，足踵起落時，愼勿牽掣動搖，及猛以足踵頓地，震傷腦筋，各動作均宜徐徐提起，緩緩而落，以意導力，達於十指，隱覺熱氣下貫，方爲得益，分托平托時，注意掌心平開時，宜與肩平；鬆肩，臂下落時，宜徐徐下落，如隨地心吸引力，自然下落，則氣達指尖矣。

（治療）此式舒展胸膈，發育肺量，治胸臆漲滿不甯，及呼吸促迫等症。

（應用）平開式，練習太極拳之胸輩，前托式之用，如敵出雙手迎面擊來，我蹲身從下用雙手平托其兩肘前送，敵即迎面倒去，或敵以兩拳作雙風貫耳式，從兩側敵頭部，我則進身以兩手由內分格敵腕部，或臑部從而擊之也。

教練口令

第一節　兩臂左右平托數　一、二、

第二節　兩臂前舉分托數　一、二、三、

第三節　屈膝前舉分托數　一、二、三、

第四節　透步左右平托數　一、二、三、四、二、二、三、四、

第五節　透步前舉分托數　一、二、三、四、二、二、三、四、

第三式、雙手上托式（原名韋馱獻杵第三式，取兩手舉物過頂敬獻於人之意，一名，手托天式、）

（原文）掌托天門目上觀，足尖着地立身端，力周骸脅渾如植，咬緊牙關不

放寬，舌可生津將腭抵，鼻能調息覺安全，兩拳緩緩收回處，用力還將挾重看。

（解曰）此亦爲直立式，直身而立，足尖著地，兩臂由左右高舉，兩手反轉上托，掌心向上，若托物然，及托至頂上，兩臂伸舒，兩手指尖相對，目上視，閉口舌抵上腭，氣從鼻孔出入，呼吸調勻，足踵提起，力由腿部而上，周於兩脇，復運腕力順兩臂貫注掌心，達於指端，始緩緩落下，還立正式，原文收回時作拳此仍作掌本此義編作法四節如後。

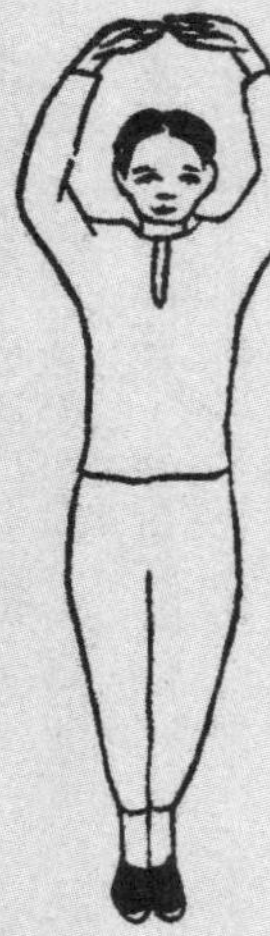

雙手上托式

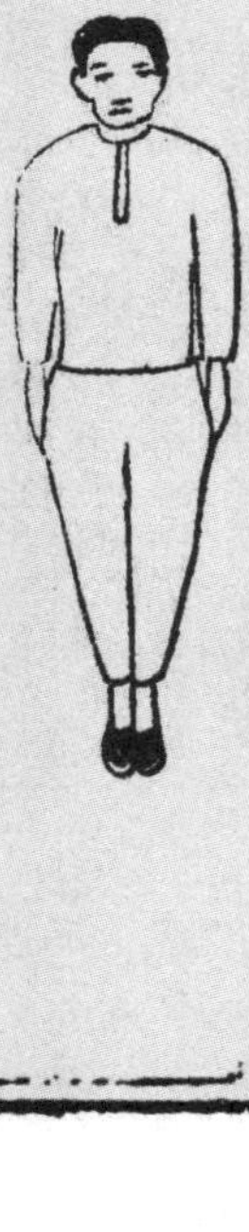

兩臂還原

作法

第一節　二動。（一）兩臂高舉。（二）兩臂下落。

(一)由立正式，兩臂由左右向上高舉至頭上，兩手上托，掌心向上，十指相對，目上視，同時兩踵提起。(二)兩臂下落，還原立正式，足踵亦隨之下落。

第二節　四動。(一)屈臂平托。(二)兩臂平分。(三)兩臂高舉。(四)兩臂下落。

(一)屈臂平托，與第一式第一節(一)動同。(二)兩臂平分，與第一式第三節(二)動同。(三)兩臂高舉，與本式第一節(一)動同。(四)兩臂下落，還原立正式。

第三節　四動。(一)前舉平托。(二)兩臂平分。(三)兩臂高舉。(四)兩臂下按。

(一)兩臂前舉平托。與第二式第二節(一)動同。(二)兩臂平分。與第一式第二節(二)動同。(三)兩臂高舉，與本式第一節(一)動同。(四)兩臂下按，與第一式第一節(二)動同。

第四節　四動。(一)交叉屈臂。(二)兩臂平分。(三)兩臂高舉。(四)兩臂下按。

(一)由立正式，右足外撇。左足移至右足後方，足尖與右足尖相對，兩足踵與兩足尖均在一直線上，兩膝微屈，作交叉步，同時兩臂平屈。(二)兩臂平分。(三)兩臂高舉。(四)兩臂下落，同時左足還原立正式。(一)(二)(三)(四)與(一)(二)(三)(四)式同，惟右足行之。

(運動部分) 此式爲全身運動，其注意之點，爲肩腕及足脛，兩臂上托時，運動肩胛關節及肩胛帶，主動筋肉，爲前大鋸筋，僧帽筋，三角筋，棘上筋等，下落時，主動筋肉，爲棘上筋，十圓筋，大胸筋等。

(注意及矯正) 兩臂高舉時，兩臂伸直勿屈，掌心向上，用力上托，目上視，兩肩鬆勿上聳，提踵時，力由尾閭骨循脊骨上升，達於頂上，下按時。氣沉丹田，行之日久，則身體自强矣。

(治療) 調理三焦，及消化系諸疾，如呑酸、吐酸、胃腕停滯、中氣不舒、腸胃不化等疾。

(應用) 增加舉物之力，可以練習太極拳中白鶴晾翅式，提手上式。

教練口令

第一節 雙手上托數一、二、

第二節　屈臂平分上托數　一、二、三、四、
第三節　前舉平分上托下按數　一、二、三、四、
第四節　交义屈臂平分上托數　一、二、三、四、二、二、三、四、

第四式　單臂上托式

原名摘星換斗式、一名朝天直舉、又名指天踏地、即八段錦中之單舉式也、一手朝上托、若摘星斗、兩手互換爲之，故名。

（原文）隻手托天掌覆頭，更從掌內注雙眸，鼻端吸氣頻調息，用力收回左右侔。

（解曰）此亦爲直立式，上肢之運動也，以隻手作掌，由側面向上高舉，掌心向上托，覆於頂上，目上視，鼻端吸氣，臂下落時，氣向外呼，左右互換，今本此義，編作法五節如後。

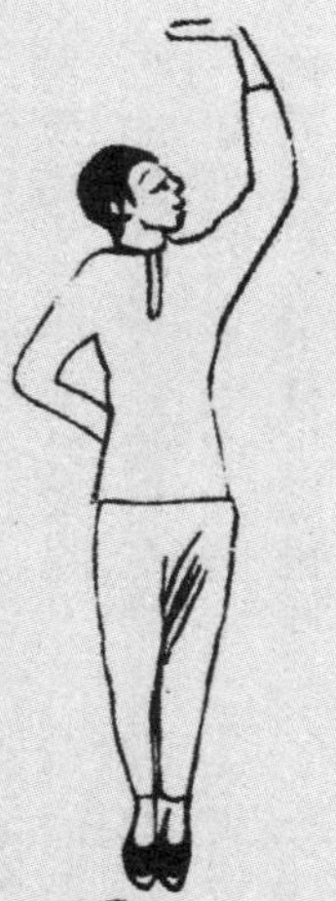

左臂上托

右臂上托

第一節　四動。(一)左臂上托右臂後屈。(二)兩臂還原。(三)右臂上托左臂後屈。(四)兩臂還原。

(一)由立正式，左臂自左側向上高舉上托，掌心向上，指尖向右，頭仰視手背，上體隨之半面向左轉，同時右臂後迴，屈肱橫置腰間，掌心向外，以手背附於左臀，支柱上體後仰之力。(二)兩臂放下，還原立正式。(三)右臂自右側向上高舉，左臂後迴，上體半面向右轉，與第(一)動同。(四)兩臂放下，還原立正式。

第二節　二動。(一)左臂上托，右臂後屈。(二)右臂上托，左臂後屈。

停動　兩臂放下。

(一)左臂自左側高舉上托，同時右臂後屈。(二)右臂自右側高舉上托，同時左臂後屈，左右互換，連續爲之。(還原)。兩臂放下，還原立放式。

第三節　左右各四動。(一)左臂平托，右臂後屈，(二)左臂平分，(三)左臂上托。(四)兩臂放下。

(一)左臂自下向上屈臂平托，至胸骨前爲止，掌心向上，同時右臂後廻，屈肱橫置腰間。(二)右臂不動，左臂自胸前向左平分與肩平爲止，目視左手。

(三)左式上托，與本式第一節（一）動同。(四)兩臂下落還原立正式。(二)

(二)(三)(四)與(一)(二)(三)(四)同，惟右臂行之。

第四節　左右各五動。(一)左臂平托，右臂後屈。(二)左臂平分。(三)左臂上托。(四)左臂下按，上體前屈。(五)上體還原。

(一)與本式第三節(一)動同。(二)與第三節(二)動同。(三)與第三節(三)動同。(四)左臂下落。掌心向下，經面前、沿右肩、經胯傍、循腿下按，以掌心按地爲止。同時上體向左前方深屈。(五)上體直立，左掌經過足趾前收回，兩臂垂直，還原立正式。(一)(二)(三)(四)(五)與(一)(二)(三)(四)(五)同，惟右臂行之。

第五節　左右各四動。(一)透左步左臂平托，右臂後屈。(二)左臂平分。(三)上體左後轉，左臂上托。(四)兩臂還原。

(一)左足移至右足踵後方，作透步式，同時左臂平托，右臂後屈。(二)左足不動，左臂平分。(三)上體左後轉，兩足靠攏，同時左臂隨上體後轉高舉上托。(四)兩臂落下。(二)右足移至左足踵後方，作透步式，同時右臂平托，左臂後屈。(二)右足不動，右臂平分。(三)上體右後轉，兩足靠攏，同時右臂隨上體後轉，高舉上托。(四)兩臂落下。

(運動部分) 此式爲上肢、頭部、腰部、及下肢之運動也，臂上托時，爲肩胛關節及肩胛帶之運動，主要筋肉，爲前大鋸筋、僧帽筋、三角筋、棘上筋，臂後屈爲肘關節之運動，主動筋肉爲二頭膊筋、膊橈骨筋、內膊筋，頭後屈，目上視，爲頭關節前後軸，及橫軸之運動，主要筋肉，爲後大小直頭筋、上斜頭筋、頭夾板筋、頭長筋、頭半棘筋，上體側轉，爲腰部筋肉運動，凡斷裂筋、旋背筋、及其他腹筋，均受其影響，上體前屈，脊柱前屈也，腰椎部所屈最多，小腰筋、直腹筋、腸腰筋、均爲其主要筋肉，透步交叉，均爲運動下肢筋肉，由此觀之，此單臂運動，倘運動得宜，則十二節運動，可以普及，較體操之雙臂齊出之動作，至爲有效也。

(注意及矯正) 屈臂平托時，目宜視前方，臂平分時，目宜隨之旋轉，上托時則仰首注視掌背，臂下落則還原正視，上體左右旋轉，兩腿仍直立勿動，臂後屈手宜支柱腰臀，其手背貼附之力，須與上托之臂相應，步交叉時，上體宜直立勿前傾。

(治療) 調理脾胃及腰腎諸疾。

（應用）練習拳術中領托諸勁，轉身透步各法，爲靈活肩腰及下肢，使之有屈伸力。

教練口令

第一節　單臂上托數　一、二、三、四、

第二節　單臂互換上托數　一、二、

第三節　單臂平分上托數　一、二、三、四、二、二、三、四、

第四節　單臂平分上托下按數　一、二、三、四、二、二、三、四、

第五節　透步轉身上托數　一、二、三、四、二、二、三、四、

第五節　雙推手式原名出爪亮翅式、兩手作掌前推、如鳥之出爪、由後運臂向左右分展、如鳥之亮翅也、乃合十八手中之排山運掌、及黑虎伸腰二式爲一式、而施運動者也、形意中之虎形、八卦之雙撞掌、太極拳之如封似閉、岳氏連拳之掌馳式、蓋均取法於此、岳武穆平生以善雙推手得名、言少林拳術者、每稱之爲鼻祖、故取以名此式云、五禽經之虎鳥二形、亦與此相近、

（原文）挺身兼怒目，推手向當前，用力收回處，功須七次全。

（解曰）挺者，直也，挺身者，身體挺直之謂也。當前者，向胸前正面也，挺身而立，目前視，兩手作掌，向前雙推，然後用力握拳收回，原文未含亮

翅動作意，今本其意，參以十八手中二三兩式，分節編作法六節如後。

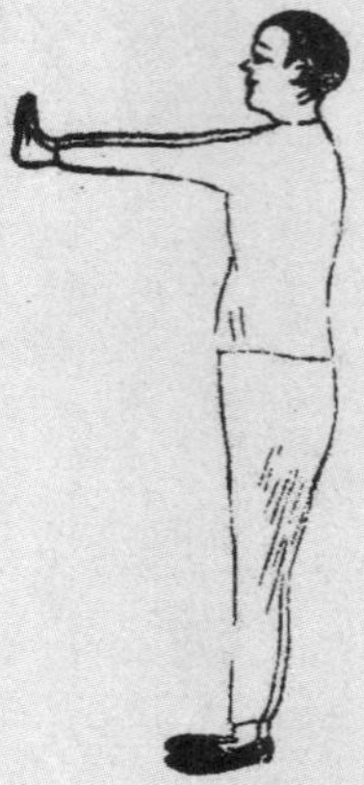

兩手前推式

兩手分推式

作法

第一節 二動。(一)立正抱肘。(二)兩手前推。

(一)由立正式，兩臂屈，兩手握拳，手心向上，分置兩脇下，作抱肘式，目平視。(二)兩拳變掌，徐徐向前平推與肩齊，手心向前。
(三)兩掌上翻，手心向上，握拳屈回，仍還抱肘式。(四)兩手仍向前推，如此反復行之，停動。兩臂放下。還原立正式。

第二節　二動。(一)立正抱肘。(二)開步前推。

(一)與本式第一節(一)動同。(二)兩掌向前平推，同時左足前進一步，屈膝作左弓箭步式。(三)兩拳上翻，手心向上，仍握掌，兩臂屈回，還原抱肘式。(四)與(二)動同，惟右足前進。停動。右足收回，兩臂放下。還原立正式。

第三節　四動。(一)立正抱肘。(二)開步蹲身前推。(三)還原抱肘。(四)兩臂放下。

(一)與本式第一節(一)動同。(二)兩掌向前平推，同時左足側出一步，屈膝作騎馬式，上體仍直立勿動。(三)兩臂屈回，兩膝伸直，右足靠攏，還原抱肘式。(四)兩臂放下。(二)(二)(三)(四)與(一)(二)(三)(四)式同，惟右足側出。

第四節　四動。(一)開步抱肘。(二)轉身推掌。(三)還原抱肘。(四)併步立正。

(一)屈臂作抱肘式，同時右足側出一步。(二)上體向左轉，屈左膝作左弓箭步，同時兩掌向前平推，作轉身推掌式。(三)兩臂屈回。上體向右轉，還原開步抱肘式。(四)左足收回靠攏，兩臂放下，還原立正式。(一)(二)(三)(四)與(一)(二)(三)(四)式同，惟右足側出，兩掌前推耳。

第五節　四動。(一)立正抱肘。(二)開步前推。(三)探身分推。(四)還原立正。

(一)與本式第一節(一)動同。(二)開步前推，與本式第二節(二)動同。(三)上體微向前探。同時兩掌分向左右平推與肩平，手指向上，掌心吐力。(四)兩臂放下，左腿亦收回還原立正式。(一)(二)(三)(四)與(一)(二)(三)(四)同，惟右足前進耳。

(運動部分)　此式爲上肢、下肢等運動，前推時，主要筋肉，爲二頭膊筋、鳥嘴膊筋，分推時，爲三角筋、棘上筋、橈骨筋、及大胸筋、足前進屈膝。主要筋肉，爲半膜樣筋、半腱樣筋、二頭股筋、薄骨筋、縫匠筋等。

(注意及矯正)　前推時，手腕宜與肩平，手指挺直勿屈，分推時，臂宜伸直，掌心吐力，上體前探，不宜過屈，膝前屈時，後足足踵不可離地。

（治療）此式分推時，可舒展胸膈，發育肺量，治胸臆漲滿等症。

（應用）可以練習八卦拳中之雙撞掌，太極拳之如封似閉，岳氏連拳之掌舵式等。

教練口令

第一節　兩掌前推數　一、二、

第二節　進步前推數　一、二、

第三節　蹲身前推數　一、二、三、四、二、二、三、四、

第四節　開步左右推掌數　一、二、三、四、二、二、三、四、

第五節　進步分推數　一、二、三、四、二、二、三、四、

第六式　膝臂左右屈伸式（原名倒拽九牛尾式、取週身用力後拽狀、若執牛尾者然、一名週身掌式、）

（原文）兩腿後伸前屈，小腹運氣空鬆，用力在於兩膀，觀拳須注雙瞳。

（解曰）由立正式，兩足分開，右（左）腿屈膝，左（右）腿伸直，作蹬弓式椿步，同時右（左）臂亦向右（左）側方伸出，仰手攏五指作猴拳，肱略屈，左（右）臂背手，向左（右）後伸，仰手攏五指作猴拳，臂膀用力，氣沉丹田，兩

眼注視前拳，本此義編作法三節如後。

兩臂側舉

左轉膝臂屈伸

作法

第一節　四動。(一)開步兩臂側舉。(二)兩臂前後屈伸。(三)還原側舉。(四)兩臂前後屈伸。

(一)由立正式，左足側出一步，兩膝屈作騎馬式樁步，同時兩臂左右側舉，俾與肩平，兩手作掌，掌心向下，目前視。(二)左足尖扭轉外移，左膝前弓，右足尖內扣，右腿伸直，作左弓箭步樁，同時上體向左轉，左臂屈肱，肘彎處應成鈍角，左掌五指攏撮作鈎形，屈腕向上，掌指均對鼻端，右臂微下垂，彎轉身後，右掌亦作鈎形，背手向上，目視左手。(三)兩膝仍屈，還原騎馬式，同時兩臂伸直。復(二)之姿勢。(四)上體右轉，右膝前屈，左腿伸直，右臂屈肱，左臂在後伸直，兩掌作鈎形，目視右手。（還原）兩臂放下，兩足併齊，還原立正。

第二節　二動。(一)左轉膝臂屈伸。(二)右轉膝臂屈伸。

(一)由立正式，上體左轉，左足側出一步，屈膝前弓，右腿在後伸直，左臂側舉，屈肱向上，右臂後伸，兩手作鈎，與本式第一節(二)動同。(二)右臂自右下方旋至上方，屈肱作鈎，同時身向右轉，兩足隨之右轉，成右弓箭步，左臂下轉作鈎，目視右手。（還原）與第一節同。

第三節　三動。(一)左轉膝臂屈伸。(二)護肩掌。(三)開步推掌。

(一)與本式第二節(一)動同。(二)左足收回半步，足尖點地，貼右足踵側，右膝亦屈，作左丁虛步樁，同時左臂屈回，左鈎變掌，置於右肩前，作護肩掌式。(三)左腿復前進半步，左膝還原左弓箭步樁，同時左掌向前推出與肩平，坐腕立掌，五指向上，右手仍在後作鈎形。(二)與本式第二節(二)動同。(二)右足收回，作右丁虛步，右臂屈回，右鈎變掌，置於左肩前，作護肩掌式。(三)右腿前進，仍還原右弓箭步，右掌向前平推，作開步推掌式。

(還原)　同上

(運動部分)　此式亦上肢及下肢運動也，兩臂側舉，其主要部分，爲旋肩胛關節，屈肘爲肘頭關節，側舉時，主要筋肉，爲三角筋、棘上筋、橈骨筋、小圓筋、屈肘時爲二頭膊橈骨筋、內膊筋、手腕屈伸、其主要筋肉、爲內橈骨筋、內尺骨筋、淺屈指筋等。

(主意及矯正)　兩臂側舉，宜與肩平，兩肩勿聳起，上體宜直立，足側出作騎馬步時，兩足尖均應向同一的方向，作弓箭步時，踏出之腿，儘力屈膝，但不可過足尖，後腿儘力伸直，足踵不可離地。

(治療)　可以療治腿臂屈伸不靈活諸病。

(應用)　可以練習拳術之騎馬式，弓箭步等樁步。

教練口令

第一節　膝臂屈伸數　一、二、三、四、二、二、三、四、

第二節　膝臂屈伸互換數　一、二、三、四、二、二、三、四、

第三節　膝臂屈伸護肩數　一、二、三、四、二、二、三、四、

第七式　屈臂抱顎式　一名九鬼拔馬刀式、蓋因馬刀甚長、非自背後拔刀、不能出鞘、此乃倣其形式而爲動作者、又即導引術之鴟顧、頭向左右顧視如鴟也、

（原文）　側身彎肱，抱項及頸，自頭收回，弗嫌力猛，左右相輪，身直氣靜。

（解曰）　此亦爲直立姿勢，側身而立，頭向左右顧視，左（右）臂自頭側方高舉，向對方屈肱，以左（右）手搬抱下顎骨，同時右（左）臂屈肱後迴，橫置腰間，下肢直立勿動，呼吸調勻，心定氣靜，左右互換爲之，今本此意，編作法三節如後。

作法

第一節　四動。（一）兩臂平舉。（二）屈左臂抱顎，右臂後迴。（三）原還平舉。（四）屈右臂抱顎，左臂後迴。

兩臂平舉

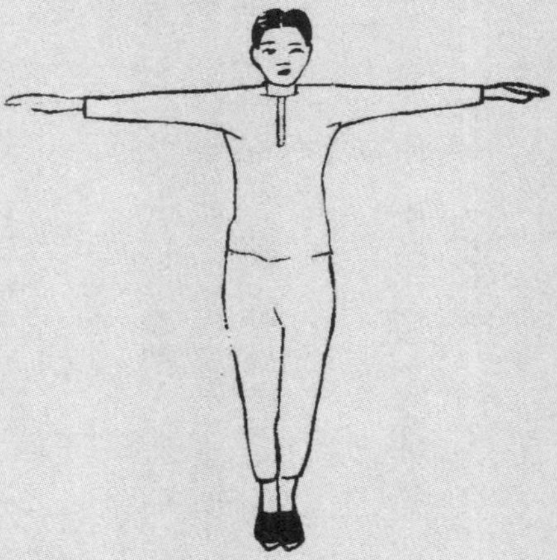

屈臂抱頸

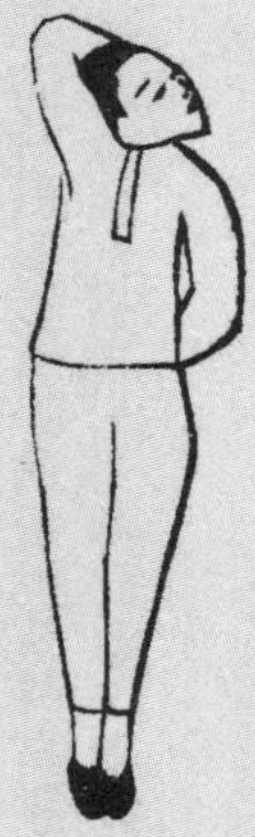

(一)由立正式，兩臂自左右向上平舉，與肩水平，掌心向下。(二)頭向右顧，頸向左屈。左臂向對方屈肘於頭後，以左手手指搬抱下顎骨，同時右臂屈肘後迴，橫置腰間，掌心向外，下肢均直立勿動。(三)兩臂還原側舉，頭亦直立。(四)頭向左顧，頸向右屈，右臂高舉，向對方屈肘於頭後，以右手手指搬抱下顎骨，同時左臂屈肘後迴，橫置腰間，掌心向外，如此左右互換爲之。

(還原) 兩臂放下，還原立正，頭恢復直立。

第二節 二動。(一)屈左臂抱顎。(二)屈右臂抱顎。

(一)由立正式，頭向右顧，頸向左屈，左臂高舉，向對方屈肘，以左手搬抱下顎骨，同時右臂屈肘後迴，與本式第一節(二)動同。(二)頭向右顧，頸向左屈，右臂高舉，向對方屈肘，以右手搬抱下顎骨，同時左臂下落，屈肘後迴，與本式第一節(四)動同，如此左右互換爲之。 (還原)同第一節。

第三節 二動。(一)右臂側舉，上體向左屈。(二)左臂側舉，上體向右屈。

(一)由立正式，上體向左屈，右臂自側方向上高舉于頭上，微向左屈，右手小指、無名指、與拇指攏合一處，其餘二指伸直，隨身向左下方指，同時左臂屈肘後迴，橫置腰間，眼下視左足踵。(二)上體向右屈，左臂自下高舉於頭側，微向右屈，右手小指、無名指、與拇指攏合一處，其餘二指隨身向右下側指，同時右臂屈肘後迴，橫置腰間，眼下視右足踵，如此左右互換爲之。

(還原) 仝上

(運動部分) 此式爲頭部、上肢、及腰部運動，頭側屈。爲頭關節前後軸及橫軸之運動，主要筋肉，爲大後直頭筋、小後直頭筋、上斜筋、夾板筋、頭長筋、頭半棘筋等，臂側舉時，其主要筋、爲三角筋、棘上筋、橈骨筋、小圓筋、臂上舉屈肘時，爲肩胛關節，及肘關節之運動，主要筋肉，爲前大鋸筋、僧帽筋、二頭膊筋、膊橈骨筋、內膊骨筋等，上體向左右屈，爲脊柱側屈，兩傍筋肉，交互動作，主要筋肉，爲薦骨脊柱筋、橫棘筋、方形腰筋、外斜腹筋等。

(注意及矯正) 頭側屈時，勿前俯後仰，顎勿前突，肩勿上聳，側身時，以脊椎爲樞紐，左右轉動爲之，上身挺直，腰側屈時，下肢植立勿動。

(治療) 矯正頸項前探，及脊柱不正等癖，并療治頭目不清，(腦充血)頸項痠酸，脊背疼痛諸病。

(應用) 練習貼身背靠，及刀術之纏頭，拳術中之進身鑽打等。

教練口令

第一節 屈臂抱顎數 一、二、三、四、

第二節　屈臂抱顎互換數　一、二、

第三節　上體向左右屈數　一、二、

第八式　掌膝起落式（一名三盤落地式、取肩肘膝三部均圓滿如環之意、）

（原文）上顎堅撐舌，張眸意注牙，足開蹲似鋸，手按猛如拏，兩掌翻齊起，千解重有加，瞪睛兼閉口，起立足無斜。

（解曰）兩腿下蹲，足尖落地，作騎乘式之八字樁，兩臂垂張，如鳥之兩翼，手掌分按兩膝上，（掌心約離膝三四寸）復挺身起立，屈臂用力，翻轉兩掌上托，（掌心向上）掌鋒貼置兩肋下（屈肘尖向後）足尖勿動，閉口舌抵上腭，日向前平視，本此義編作法二節如後。

開步屈肘

屈膝下按

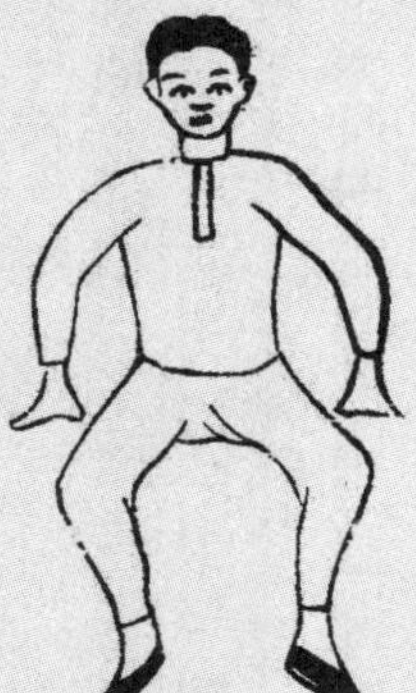

(作法)

第一節　二動。(一)開步屈肘。(二)屈膝下按。

(一)由立正式，左足向左踏出一步，兩足尖外撇，成八字形，同時兩臂屈於兩肋傍，兩手作掌，掌心向上。(二)兩踵提起，兩膝半屈，同時兩臂下伸伸直，手腕下轉，掌向心下，十指伸直，作屈膝下按式，眼平視前方。(一)兩膝伸直，兩踵落地，(習熟後不落)兩臂屈回，還原開步屈肘式，(二)再舉踵屈膝下按，如此反復行之，(還原)(一)兩膝伸直，兩踵落下，兩臂屈回，還原開步屈肘。(二)左足靠攏，兩臂放下，還原立正式。

第二節　四動。(一)開步屈肘。(二)兩膝深屈，兩臂下伸。(三)兩臂上舉，體向後屈。(四)兩臂放下，還原立正。

(一)開步屈肘，與本式第一節(一)動同。(二)兩踵舉起，兩膝深屈，同時舒展兩臂，由兩肋傍經小腹，腿襠前，坐身兩臂向下伸直，手腕下轉，掌心向內，上體仍直立勿動，眼平視。(三)兩臂向上高舉，俟舉上時，上體微向後屈，同時兩手折腕向後，此時兩膝仍屈，兩臂仍舉勿落。(四)兩臂由左右下落，上體還原直立，兩腿伸直，兩踵落地，左足靠攏，還原立正式，如此反復行之。

（運動部分）此式爲全身運動，屈肘時，爲肘關節之運動，主動筋肉，爲小圓筋、棘下筋、三角筋等，兩手下按，主動筋肉，爲小肘筋，三頭膊筋，兩臂上舉，爲肩胛關節，及肩胛帶之運動，主動筋肉，爲二頭膊筋、棘上筋、三角筋、大胸筋、上體後屈，爲脊柱後屈，主動筋肉，爲薦骨脊柱筋、橫棘筋等，屈膝時爲膝關節運動，主動筋肉，爲半腱樣筋、半膜樣筋、二頭股筋、薄骨筋、縫匠筋、膝伸直時，爲四頭股筋、廣筋膜張筋，足踵起落，爲腓腸筋、比目魚筋、屈蹠筋、長腓骨筋、後屈骨筋、長屈趾筋、短腓骨筋。

（注意及矯正）第一節作法，身之起落，以兩掌翻轉爲牽動，以雙膝屈伸爲樞紐，向上時頭項虛懸，領起全身下蹲時，尾閭下降，使氣沉丹田，足踵則始終提起，（趾尖著地）愼勿游移牽動　上體雙手隨身起而上翻，降而下按，掌心務極用力，（全身重力寄於掌心）貫注與呼吸相應，（即起時吸氣降時呼氣）上提時，全脊椎骨直豎，下降時胸骨內含，首項勿向前突出，第二節作法，身體後仰時，兩腿宜仍蹲踞，庶免重點移出身外，致仰倒也。

（治療）治兩足無力，胸膈不舒，氣不下降諸疾。

（應用）久練此式，可使人身體輕健，下肢筋肉發達，以强健脛骨，且增膝掌腰脊各部之力，練田徑賽之跳高跳遠者，尤必習之，第一節練習拳術中上托下按力，第二節作法，後仰時可發展胸肋筋肉，下蹲時，幷練習太極拳中海底針下蹲之力。

教練下口令

第一節　掌膝起落數　一、二、

第二節　兩臂下伸上舉數　一、二、三、四、

第九式　左右推掌式（一名靑龍探爪）

（原文）靑龍探爪，左從右出，修士效之，掌平氣實，力周肩背，圍收過膝，兩目注平，息調心謐。

（解曰）此亦爲直立式，係以右臂前伸，右手作掌，由右腋下圈轉向左伸出，掌心平向前推，運肩背力送之，右臂下落收回，須經過雙膝之前，再以左臂向右伸出，掌心平向前推，肩背力送之，然後左臂下落，須經過雙膝之前，兩目平視，呼吸調均，心自安甯，本此義編作法二節如後。

右掌左推

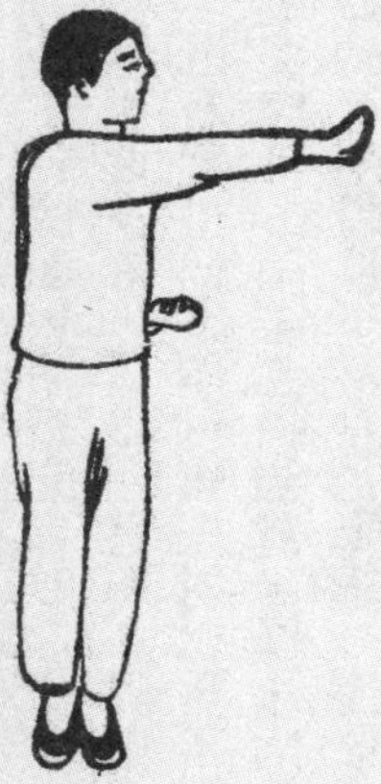

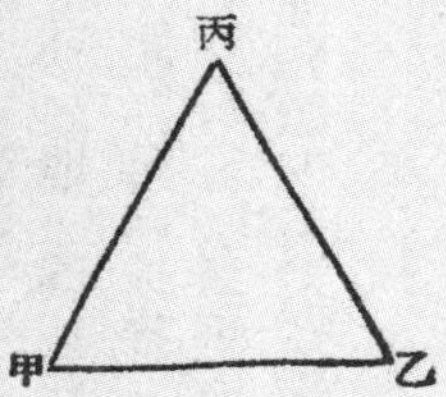

第一節　四動。(一)立正抱肘。(二)右掌左推。(三)還原抱肘。(四)左掌右推。

(一)由立正式，兩臂上屈，作抱肘式，與第五式第一動同。(二)上體與頭略向左轉，右臂向左伸，右拳變掌，向左推出，手指向上，掌心向外，高與眉齊，左臂仍屈肘勿動，目視右掌，下肢勿動。(三)左臂屈回，還原抱肘，上體與頭，亦復原狀，(四)上體與頭略向右轉，左臂向右伸，左拳變掌，向右推出，手指向上，掌心向外，高與眉齊，右臂仍屈肘勿動，目視左拳，下肢勿動，如此反復行之。(還原)。自本節數至(四)時。(一)左臂屈回，還原抱肘(二)兩臂放下，還原立正。

第二節　二動。(一)開步穿手。(二)進步放掌。

此式所行之步，爲三角形，設底邊一角爲甲，一角爲乙，兩頂角爲丙，練習此式時，(一)由立正式，左足側出一步，(兩足距離與肩同)所站之地，設爲甲角，則右足之所站地爲乙角，同時左臂自下向上平舉，左手爲掌，掌心向右，同時右臂亦舉起，屈肘舉至左臂傍，右手掌心向內，與左肘接近，手指向上。(二)右腿向前移進一步，所站之地，爲頂角丙，兩膝屈作丁虛步樁，同時右臂順左臂向前穿出伸直，手腕外轉向前推，掌心吐力，但左臂不動，僅可順右肘之勢下沉，萬不可抽回，兩臂垂肩墜肘，立掌坐腕開虎口，兩手食指約對鼻準，兩掌心相印，若抱物然。(三)右足後退一步，仍退至原所站之地，(乙角)兩腿伸直，同時右臂不動，左臂屈肘，移於右臂傍，左手掌心向內，與左肘接近，手指向上。(四)左腿前進一步，所站之地，爲頂角丙，兩膝屈作丁虛步樁，同時左臂順右臂向前穿出一直，手腕外轉向前推，掌心吐力，但右臂不動，僅可順左肘之勢下沉，萬不可抽回，兩臂墜肩垂肘，立掌坐腕開虎口，兩手食指約對鼻準，兩掌心相印，若抱物然。(還原)練至此式(四)時，兩臂放下，左足靠攏，還原立正。

（運動部分）　此式爲頭、腰、上肢、下肢等運動，頭向左右轉時，爲頭關節之運動，主動筋肉，爲後大直頭筋、頭半棘筋、頭長筋、頭夾板筋、下斜頭筋、胸鎖乳頭筋等，上體左右轉時，脊柱回旋也，爲腰部筋肉之運動，主動筋肉，爲斷裂筋、旋背筋、其他腹左筋、亦交互動物，其上肢下肢運動筋肉，均與前同。

（注意及矯正）　頭與上體左右轉時，及左右手推出，仍宜挺直勿動，兩臂推出，宜與肩平，掌心吐力，作第二節換掌，宜鬆肩垂肘。

（治療）　可以矯正上肢，下肢不靈活諸弊。

（應用）　可以練習太極拳中如封似閉，八掛拳中單換掌，岳氏連拳中之雙推手等。

教練口令

第一節　左右推掌數　一、二、三、四、

第二節　換掌數　一、二、三、四、

第十節　撲地伸腰式 一名餓虎撲食式

（原文）　兩足分蹲身似傾，伸屈左右腿相更，昂頭胸作探前勢，偃背腰還似砥平，鼻息調元均出入，指尖著地賴支撐，降龍伏虎神仙事，學得眞形也衛生。

（解曰）本式係由立正式，右足前進一步，屈膝作右弓箭步椿，同時上體向前屈，以兩手五指著地，兩臂伸直，頭向上抬起，眼平視，然後右足向後撤與左足相併，兩膝伸直，足尖著地，閉口舌抵上顎，呼吸由鼻孔出入，本此意編作法四節如後。

臥虎撲食式一

臥虎撲食式二

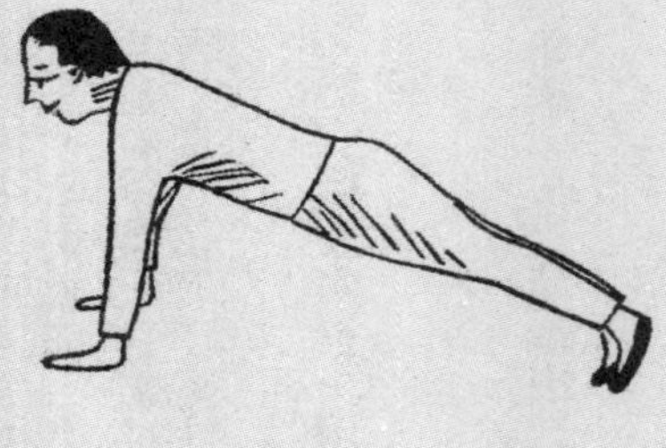

作法

第一節　五動。(一)立正抱肘。(二)進步前推。(三)兩手伏地。(四)立身提手。(五)還原立正。

(一)立正抱肘，與第五式第一節(一)動同，(二)進步前推，與第五式第二節(二)動同。(三)上體向前屈，兩臂亦隨之下伸，以兩手掌伏地爲止，兩臂伸直，頭抬起，眼平視。(四)右腿屈膝，左腿崩直，變成丁字步樁，同時上體徐徐直立，兩臂亦隨上體直立，垂於小腹前，手腕外轉，手心向前，同時握拳如提物然。(五)右腿伸直，左腿收回靠攏，兩手亦垂直腿傍。還原立正式。

第二節　五動。(一)進步前舉。(二)兩手伏地。(三)右腿高舉。(四)還原前舉。(五)還原立正。

(一)由立正式，左腿前進一步，屈膝作左弓箭步，同時兩臂向前平舉與肩平，兩手手掌，掌心相對，指尖向前，眼平視。(二)上體向前屈，兩臂亦隨之下落，以兩手手指著地，頭略抬起。(三)右腿向上高舉，(量力而行)足面崩直，餘式仍舊。(四)右腿落地，上體徐徐直立，兩臂亦隨之舉起，還原進步前舉式。(五)兩臂放下、左腿收回，還原立正。

第三節　六動。(一)進步伏地。(二)左腿後撤。(三)身向前伸。(四)身向後撤。(五)左腿屈回。(六)還原立正。

(一)由立正式，左腿前進一步，屈膝作左弓箭步，同時兩臂下伸，兩手掌心伏地，與本式第二節(二)動同。(二)左足後撤，與右足併齊，兩腿伸直，兩臂用力挺直，眼平視。(三)上體徐徐向後撤，兩臂屈，上體再向前伸，兩臂亦隨之伸直。(四)兩臂屈，上體徐徐向後撤，臂又隨之伸直。(五)左腿屈回，仍作左弓箭步，與本節(一)動同。(六)上體直立，左腿收回，與右腿併齊，還原立正式。

第四節　六動。(一)進步伏地。(二)左腿後撤。(三)兩臂下屈。(四)兩臂挺直。(五)左腿屈回。(六)還原立正。

(一)進步伏地，與本式第三節(一)動同。(二)左腿後撤，與本式第三節(二)動同。(三)兩臂徐徐向下屈。(四)兩臂再徐徐伸直。(五)左腿屈回，(見上節)(六)還原立正。(見上節)

(運動部分)　此式爲全身運動，屈臂爲肘關節之屈曲，主動筋肉，爲二頭膊筋、內膊筋，上體前屈，脊柱前屈也，主動筋肉，大腰筋、小腰筋、直腹筋、及他筋肉，屈膝爲膝關節之運動，主動筋肉，爲腸腰筋、直股筋、縫匠筋、腿向上舉，爲髀臼關節之前後軸運動，主動筋肉，爲中臀筋、小臂筋、張股鞘筋等。

（注意及矯正） 兩臂前舉，或前推時，宜伸直與肩平，作弓箭步時，踏出之腿，儘力前屈膝，但不可過足尖，後腿儘力伸直，足踵不可離地，腿向上高舉，宜量力而行，足面宜崩直。

（治療） 可以療治腿臂屈伸不靈活諸病。

（應用） 可以增長腿臂屈伸之力量。

教練口令

第一節 撲地提手數 一、二、三、四、五、

第二節 撲地舉腿數 一、二、三、四、五、

第三節 撲地伸腰數 一、二、三、四、五、六、

第四節 撲地屈臂數 一、二、三、四、五、六、

第十一式 抱首鞠躬式 一名打躬式、

(原文) 兩手齊持腦，垂腰至膝間，頭惟探胯下，口更齧牙關，俺耳聽教塞，調元氣自閑，舌尖還抵腭，力在肘雙彎。

(解曰) 木式由直立式，兩臂迴屈，手抱頸後，兩掌掩耳，(爲教練便利起見，可用十指交叉，頸後抱頭，) 肘用力後張，上體徐徐前下屈至膝前，然後徐徐起立，閉口舌抵上腭，氣沉丹田，使呼吸有節，氣自鼻孔出入，本此義編作法一節如後。

打躬式

作法

第一節　四動。(一)兩手附頸。(二)上體前屈。(三)上體還原。(四)兩手放下。

(一)由立正式，兩臂上屈於肩上，兩手十指相組，附於頸後，眼平視。(二)上體徐徐前深屈，至胸部接近腿部爲止，頭略抬，兩腿仍挺直勿屈。(三)上體徐徐直立，還原(一)之動作。(四)兩手放下還原立正式。

(運動部分) 此式爲腰部及肩肘關節運動，兩手附頸，爲上臂側面平舉，前臂屈曲前廻，及手腕關節內轉也，主動筋肉爲三角筋、棘上筋、小圓筋、棘下筋、廻前方筋、廻前圓筋、外尺骨筋、內尺骨筋等、上體前屈，卽脊柱前屈也，腰椎部所屈最多，主動筋肉，爲小腰筋、腹直筋、腸腰、等。

(注意及矯正) 練習此式時，所最宜注意者，卽上體前屈時，頭宜略爲抬起，否則難免腦充血之病，膝蓋亦挺直勿屈，手伏頸時，兩肘宜極力向後張，爲擴張胸部起見，否則胸部受壓迫，于生理大受阻礙。

(治療) 可治腰腎諸疾

(應用) 能使腰部靈活，臂部腿部，筋肉伸長。

練習口令

第一節 打躬數 一、二、三、四、

第十二式　伸臂下推式（一名掉尾式、又名攤偺式、）

（原文）　膝直膀伸，推于至地，瞪目昂頭，凝神壹志，起而頓足，二十一次，左右伸肱，以七爲至，更作坐功，盤膝垂視，目注于心，息調于鼻，定靜乃起，厥功惟備。

（解曰）　本式由直立式，兩臂左右高舉，手指相組，掌心上翻，上體徐徐向前、左、右、深屈，伸臂下推，以兩手掌著地爲止，頭略抬起，然後徐徐起立，如此反復行之，呼吸調勻，心定氣靜，此式爲十二式之終，各式連續練畢，爲時已久，腿部已勞捲，故安頓以休息之，伸肱者，伸臂也，左右伸舒，以平均其力也，靜坐方法，與怡養精神，頗有關係，運動後能靜片時，以定心志，兼事呼吸，以調和週身血脈，久之則智慧生，身體健，有不期然而然者矣。

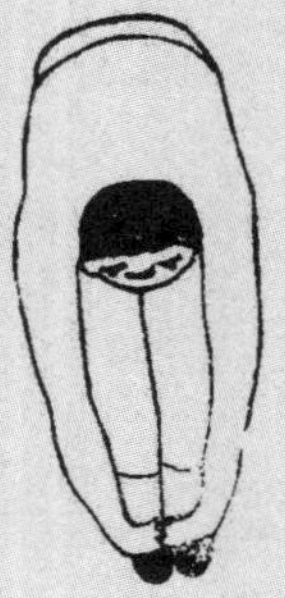

掉尾式

作法

第一節　四動。(一)兩臂高舉。(二)上體前屈。(三)上體直立。(四)兩臂放下。

(一)由立正式，兩臂由左右向上高舉，兩手十指相組，兩掌心翻向上。(二)兩膝弗屈，上體徐徐向下深屈，兩臂亦隨之下落，以兩掌心著地爲止，頭略抬起。(三)上體徐徐直起，兩臂亦隨之舉起，還原(一)之姿勢。(四)兩臂放下，還原立正式。

第二節　六動。(一)兩臂上舉。(二)上體左屈。(三)上體直立。(四)上體右屈。(五)上體直立。(六)兩臂放下。

(一)兩臂高舉，十指相組，掌心上翻。(二)兩膝勿屈，上體向左轉，徐徐向下深屈，兩臂亦隨之下落，至掌心著地爲止，頭略抬起。(三)上體徐徐直立，兩臂隨之舉起，還原(一)之姿勢。(四)兩膝勿屈，上體向右轉，徐徐向下深屈，兩臂亦隨之下落，至掌心著地止。(五)上體徐徐直立，兩臂隨之舉起還原(一)之姿勢。(六)兩臂放下，還原立正式。

(運動部分)　此式爲腰部運動，兩臂高舉時，爲肩胛關節。及肩胛之運動也，主動筋肉，爲前大鋸筋、僧帽筋、三角筋、棘上筋等、上體前屈，卽脊柱前屈也，腰椎部所屈最多，主動筋肉，爲小腰筋，直腹筋，腸腰筋，上體向左右屈時，爲脊柱側屈，兩傍筋肉，交互動作，主動筋肉，爲薦骨脊柱筋、橫棘筋、方形腰筋，外斜筋等。

（注意及矯正）兩臂由左右舉起時，臂宜挺直用力，至頭上時，卽將兩手十指相組，各以指間抵住手背。兩大臂在兩耳之傍，兩掌上翻，掌心宜吐力，上體前左右屈時。兩腿宜挺直勿屈，頭宜抬起，以免腦充血，兩臂下落，以著地爲宜，但初學時不易，日久卽成。

（治療）可治腰部諸病。

（應用）能使腰部靈活，臂部、腿部、筋肉伸長。

敎練口令

第一節　伸臂下推數　一、二、三、四、

第一節　左右伸臂下推數　一、二、三、四、五、六、

中華民國二十三年十月初版

少林十二式

定價大洋五角

著作者　北平許禹厚

發行者　體育研究社
北平西單牌樓
北平市國術館
北西斜街五號

印刷者　京城印書局
北平和平門內北新華街
電話南局四五七零號

光燦賢契惠存

許禹生先生著

少林十二式

褚民誼題

行乾贤契 惠存

著者肖像

序

拳术由来已久，至少林[①]始集其成，融修心性、壮身、技击、舞蹈于一炉，故有虎、豹、蛇、鹤、龙五拳之创造。凡中国形而上学术中所具之刚柔、捭阖[②]、虚实、动静无不包罗此五拳之中。盖人与人相接之学均不能超过此理也。惜后代继起者，偏于肌肉骨力之运使，忽于气功精神之锻炼，得其刚而失其柔，无水火相济之功，无阴阳互变之妙，常予人一种不良印象，似乎非至刚不足称为少林拳也。故元末之纪，隐君子张三丰[③]先生有见于此，从而翻之，颠倒原有次序，先柔而后刚，行气运于始，以内壮为先，使学者不能半途而止、安于小成。盖非继之以刚不足以尽技击之用也，及其成也，固无分轩轾[④]。吾同门许君禹生，既精武当，复工少林技能，融会所长，制为专书，以惠国人。近复本少林原有图式，贯以武当练法，编成《少林十二式》一书，用作习国术者之基本功夫。内中均本科学精神，呼以口令，由浅入深，适合各门国术初步之用，少林拳可用，武当拳亦可用，洵为初入国术门者，不可越级之练习书也。是为序。

中华民国二十三年九月南通维周　沈家桢[⑤]

注释

① 少林：少林寺是著名的佛教寺院，是汉传佛教的禅宗祖庭，在中国佛教史上占有重要地位，被誉为“天下第一名刹”。其因少林功夫而名扬天下，素有“天下功夫出少林，少林功夫甲天下”之说。

② 捭阖：捭，开的意思；阖，闭的意思。

③ 张三丰：历史上颇有争议的人物。《明史·方伎传》载：“张三丰，辽东懿州人，名全一，一名君宝，三丰其号也。”《清·地方志·岷州志》载：“自称张安忠第五子，生于元癸酉年（1333年）六月十八日。名君实，字全一，别号葆和容忍。张良之后。”有一说，其因不在意衣着穿戴，衣服鞋子很破烂，又号张邋遢。

有学者认为“三”与“丰”暗合八卦乾坤二象，故借用“三丰”作为太极文化的符号，并非指具体的人物。

④ 轩轾：音 xuān zhì，喻指高低轻重。

⑤ 沈家桢：1891—1972年，江苏如皋人，国内外知名的太极拳家，著有《太极拳精义》《陈式太极拳》《行功太极拳》等书。沈家桢根据个人练拳体会，写下《太极拳精义》，提出太极拳练法要旨和自我考查的依据。1957年，沈老受北京人民体育出版社的委托，开始撰写《陈式太极拳》书稿。他根据以往所收集的大量太极拳资料，对陈式太极拳详加研究，总结出太极拳八大特点，并将其列于该书之首。因此，《陈式太极拳》一书集太极拳理论之大成，极受读者欢迎。沈老晚年创编成《行功太极拳》，此套拳术既有健身功用，又有缠丝劲和技击的作用。

按：许禹生编写此书目的，已不是纯粹地介绍少林拳术，而是借用少林武术的一些动作，融“武当”的练法，结合西方体育的特点和近代科学知识，配以口令，以将之作为各门武术的基本功，及适合于中、小学推广武术的初级教材。他在序言中说明："近复本少林原有图式，贯以武当练法，编成《少林十二式》一书，用作习国术者之基本功夫。内中均本科学精神，呼以口令，由浅入深，适合各门国术初步之用，少林拳可用，武当拳亦可用，洵为初入国术门者，不可越级之练习书也。""此书解释务期明显，适合高级小学、初级中学之教材。教授体操或国术者，均可采用。"

凡例

一、少林十二式，每式内均含有拳术基本姿势。习者按式练习，自能稳固桩步，灵活肢体。

二、此书图式详明，学者依图自行练习，自能强健身体，调和气血，令弱者转强，柔者安康，有医疗体操之价值。

三、体育家每谓拳术姿势，概为全身运动，殊不尽然。兹体察每式主要部分，分记于后，以便编教案者之采择。

四、此书解释务期明显，适合高级小学、初级中学之教材[①]。教授体操或国术者，均可采用。

五、书中用语，间有粗俚者，惟意有专指，未便更易，概仍其旧。

六、此书编撰时，由霭厚说明动作，舍侄小鲁笔记，舍甥郎晋墀绘图。至辨正姿势，商定说明，则有石君子寿、李君剑华[②]、苏君绍眉等，极资辅助。并书于此，用志勿谖。

注释

① 教材：民国四年（1915 年），北京体育研究社许禹生等向全国教育联合

会提出《拟请提倡中国旧有武术列为学校必修科》议案，全国教育联合会通过“提倡中国旧有武术列入体操科”后，许禹生等人立刻着手编著中小学武术教材，《少林十二式》《罗汉须功法》《太极拳术单练法》等都是当时编写的武术教材。

② 李君剑华：李剑华，中国著名的武术家，北京体育研究社的骨干人物，曾参与《陈式太极拳》一书的编写，但在出版的多本“武术大辞典”中均未收录他的相关简介。

李剑华是许禹生创办的《北京体育研究社》的骨干之一，曾在东北大学担任体育与武术教师。也曾与许禹生一起跟陈发科学过拳。民国十七年（1928年）11月，值许禹生《太极拳势图解》三版时，李剑华为该书写跋。在许禹生编写此《少林十二式》过程中，李剑华“极资辅助”，说明李剑华在民国时期已是较有影响的武术家。

1958年，李剑华受国家体育运动委员会委托，和唐豪、顾留馨、陈照奎及李经梧等同志编写《陈式太极拳》一书。其中“陈式太极拳”传统一路动作说明，由李剑华执笔、陈照奎拍插图照。据顾留馨日记记载，1958年10月3日，“午后3时，李剑华应约来谈陈架太极拳写法，唐豪也参加，拟由我和李（剑华）去陈家沟访陈照旭，兼解决史料问题”；10月18日，“上午陈照奎报到，告以写老架拳书，由其拍照，即介绍给尹维中”；10月19日，“8时陈照奎来，练老架，余乘此得纠正老架之机会。约李剑华谈写老架事”；10月22日，“上午和陈照奎练老架、纠正第一节姿势。和陈再研究老架照片，预计需拍239张，李剑华、李经梧后天始能集中写老架动作。唐豪感冒，先电话中慰问”；10月24日，“9时许，李剑华、李经梧来，商定拍照252张”；12月6日，“李剑华来信，希我发挥陈架理论”；1959年4月12日，“9时陈照奎来，纠正二路姿势。10时半，李剑华、李经梧、孙枫秋、雷慕尼来整理改拍照片约需70张”。在写作过程中，顾留馨经常查问进度。如其日记1958年11月26日记载，“李剑华写的动作说明部分不知完成否，请你（唐豪）催问一下”；1959 年 5 月 8 日记载，“会史玉美，知李剑华每周二、四去审稿”；11 月 28 日记，“函李剑华，告以陈架理论部分仅源流未写，希告何时交稿”；1960 年 12 月 7 日记载，“上午挂号寄人民体育出版社尹维中：陈氏老架太极拳稿 127 页 ×300 字，连同唐豪著《廉让堂本太极拳谱考释》（当时顾执笔撰写的部分已有 38100 字）。午后函李剑华、尹维中希审稿、修改”。

《陈式太极拳》的编写从 1958 年 10 月至 1963 年 12 月，历时整整五年。李经梧在 1959 年 5 月就退出小组，仅参与了七个月。而且他只是“演示”动作，而不是“执笔”。

其日记 1961 年 1 月 7 日记载“李剑华复信，因老衰日工作二三小时”；1961 年 2 月 1 日记载“李剑华介绍沈家桢写陈架技术云”。因李老身体不佳，无法静心写作完成陈式太极拳的动作说明，李剑华推荐沈家桢续写第一路：“李因泻血、便秘体衰，子肺病二年休养，经济上有困难”。1963 年 12 月 6 日，沈家桢给顾留馨信中说得很明白：“李老不幸的是他的公郎患了肺结核，取去几根肋骨，他心胆俱裂，每次来信都提及病况，忧虑放不下，最近半年没有来信，不料已经去世，可悲可叹。”李老虽是尽力而为，但只写了 12050 字的草稿，连第一路都没完成，难以印成书本出版。顾留馨日记 1963 年 12 月 9 日记载“李维成函告其父李剑华逝世”；“12 月 14 日复李维成，唁其父（李剑华）逝世”。之后，顾留馨曾写信给李天骥，请求国家体育运动委员会关心照顾李剑华家属。

李剑华晚年生活窘迫，因此想让售部分藏书以解燃眉之急。1961 年 9 月 8 日顾留馨日记载：“李剑华函寄藏武术书目录，要我估价。估计 328 元。拟于 295 元收购”。顾留馨为此编列预算，由上海体育宫从购书款项中支付。其日记 10 月 5 日记载：“8 时半和阎海去李剑华家，到已 10 时，李因泻血、便秘体衰，子肺病二年休养，经济上有困难。藏书要一起让售。乃先付 80 元，尚有 120 元，俟明年有预算再付清。李希将推手大捋介绍推广。太极拳离开竞技（技击）将越练越少，前景担忧。陈发科（福生）照希放大保存。李又出示陈发科、许禹生、吴鉴泉、刘思绶等合摄照片”。1961 年 11 月 18 日顾留馨记“将李剑华藏书、太极拳抄本油印本送宫”。

1963 年 12 月出版的《陈式太极拳》初版前言：

太极拳是我国国有的一种拳术，民族特色非常突出。但在解放前，这一宝贵遗产只为少数剥削阶级所独占。解放后，在党的关怀和支持下，太极拳才得以推广，成为广大人民疗病和健身的手段。

陈式太极拳是最古老的一套太极拳，但其老架动作从无专著介绍。为了挖掘这一遗产，人民体育出版社于 1958 年秋，委托唐豪、顾留馨、李剑华、李经梧、陈照奎五人编写此拳。后因唐豪逝世，李剑华老病而中辍。

1961 年夏，人民体育出版社改约我们从头写起。初稿成后，几经修改和审订，周元龙同志代为画图并对动作说明做了统一加工，邵柏舟和杨景萱二同志代为誊写校正，巢振民和雷慕尼二同志献出陈发科的生前拳照，陈照奎同志代为最后校订等，在此一并感谢。

本书中陈式太极拳简介和第四、五章由顾留馨执笔（第四章第六节是沈家桢写的），第一、二、三章由沈家桢执笔，拳照是陈发科的生前遗照（摄于 1947 年，时年 60 岁），不足部分由其子陈照奎补照。

本书所介绍的陈式太极拳第一路和第二路拳套是陈发科生前所传的拳套。

本书旨在继承祖国的这一代优秀遗产，虽然编写工作历时四年之久并几经修改，笔者又从学于陈发科老师（沈家桢在三十年前即跟陈发科学拳），但由于学力未够，阐发难免有疏漏之处，尚希读者指正。

沈家桢、顾留馨 1963 年 7 月

以上是笔者惟一能收集到的李剑华先生的资料，一并抄录，供学者研究时做参考。

《少林十二式》叙

内家祖述武当，外家祖述少林①，学有渊源，方为探本。余幼喜修养之术，于《内经》导引②、华佗五禽③之书，靡所不读，熊经鸟引，动诸关节，呼吸吐纳，锻炼神气，皆所以却病延年，使人难老也。然其术流传既久，难免失真，嗣得旧藏达摩初祖之《易筋经》④读之，其内壮养神气，外壮练筋骨，并附有站功十二势，每式皆有歌诀，颇具深意。习者不察，徒事皮相，模仿形式，而未悉其以心行气，以气运身之精意，甚可惜也。余尝谓人身系精神与肉体二者合成，锻炼方法，自应本身心合一，二者兼施之旨，方能有效，俾合于近代体育上之修养，使人人得完成其人格。前在北平创办体育学校曾采为教材，寻复次其浅深，窥其用意，编为教程，用授学子。习者称便，均谓此术不惟修养身心，且所具各式可为各派拳术之基本练习，习国术者首先习此，以为基础，无论再习何种门类，均易进步。方令中央提倡体育，教育部特设体育补习班于首都，召集全国体育专家研习其中，以事宣传，而广国术之推行，余不揣鄙陋，将所编之《少林十二式》列为国术初级课程，并贡献拙著以为讲义，尚望海内贤豪进而教之，则幸甚矣。时为中华二十二年夏叙于首都。

燕北禹生许龗厚叙

注 释

① 内家祖述武当，外家祖述少林：少林为外家、武当为内家之说，始见于黄梨洲《王征南墓志铭》：“少林以拳勇名天下，然主于搏人，人亦得以乘之。有所谓内家拳者，以静制动，犯者应手即扑，故别于少林为外家”。又见《宁波府志·张松溪传》：“盖拳勇之术有二：一为外家，一为内家。外家以少林为盛，其法主于搏人，而跳踉奋跃，或失之疎，故往往为人所乘。内家则松溪之传为正，其法主于御敌，非遭困厄则不发，发则所当必靡，无隙可乘，故内家之术为尤善。”以上将拳术划分内家与外家的说法，对研究武术史的影响颇深。

唐豪曾在《行健斋随笔》中指出：“拳派之号称武当者，曰太极，曰形意，曰八卦，曰无极。武当丹士张三丰者，古时假托而附会为鼻祖者，始则内家拳，其言出黄梨洲《王征南墓志铭》，继则太极拳，其言出有清末叶‘太极拳拳谱’。至民国，八卦、形意、无极始竞附焉，且多标榜为内家。张三丰一梦而精技击之说，尊而信之者，其常识可谓幼稚之至。至于标榜为内家，则术未深考彼此练法与打法不同。或以为太极、形意等拳，其用内功，皆相贯通，遂皆称之曰内家。夫内家拳之用劲，问黄梨洲父子所未言，即与此诸拳同矣，若练法、打法不同，亦不得混为一物。”而孙禄堂《形意拳学》自序中言“形意拳创自达摩祖师”，薛颠《形意拳讲义》言“形意拳乃岳忠武王所创”。他们都不认为形意拳是张三丰创始的。

蔡龙云在《论武术的内家与外家》一文中指出：“将一些自称为内家拳专家的文章归纳起来有三。其一，‘以静制动’‘后发制人’的拳术为内家；‘主于搏人’‘先发制人’的拳术为外家。其二，‘以柔克刚’，主柔的拳术为内家；主刚的拳术为外家。其三，讲究‘内功’，善于调理内在的气息运行的拳术为内家；主于锻炼外在的形体素质的拳术为外家。”然后蔡龙云对上文归纳逐条进行分析批评，认为“这种理论似乎不是那么十分站得住脚”“实践是检验真理的标准，古人和贤者所说的一切，恐怕有些也不完全符合客观实际的，在武术内家与外家之别的说法上，他们就难免不带有片面性和局限性了”。

②《内经》导引：导引是中国古代的一种强身健体、祛病疗疾的养生方法。《黄帝内经》中的有关导引法原理，主要归纳为：积精全神，合练精、气、神三宝；辨列星辰，和合春、夏、秋、冬四时；动静结合，整体锻炼；辨证导引，杂合而治。这些原理，在指导养生和导引科学研究上仍发挥很大作用。秦汉时期，医学的进步直接带动了导引术的发展。当时医者对人体各器官的结构和功能就已经有了大体的了解，这一时期医学著作《黄帝内经》中就有“诸筋者，皆属于节”“胸腹者，脏腑之郭也”的说法。《黄帝内经》总结导引疗法的适应证有“痿、厥、寒、热”和“息积”，还提到以烫药、导引配合可治疗筋病。

1974年，湖南长沙马王堆3号汉墓出土的帛画《导引图》，乃是了解汉代导引术发展的极其珍贵的资料。《导引图》中有44个彩绘的各种人物做各类导引的形象图。每个图均为一独立的导引术式，图侧有简单的文字标出名目。这幅《导引图》充分反映了当时导引术式的多样性。从导引的功能方面看，既有用于治病的，也有用于健身的。从肢体运动的形式看，既有立式导引，也有步式和坐式导引；既有徒手的导引，也有使用器物的导引；既有配合呼吸运动的导引，也有纯属肢体运动的导引。此外，还有大量模仿动物姿态的导引。当今体操中的一些基本动作，在《导引图》中大抵也能见到，也可以说这是迄今所发现的最早最完整的古代体操图样。

导引术如《八段锦》影响较大，广受民众喜爱。

③华佗五禽：即华佗五禽经，又称华佗五禽戏，是由东汉末年著名医家华佗根据中医阴阳五行原理，以模仿虎、鹿、熊、猿、鹤五种动物的动作和神态

编创的一套导引术。禽，古代泛指动物；戏，在此指特殊的运动方式。

④ 达摩初祖之《易筋经》：达摩初祖，即菩提达摩，通称达摩，是大乘佛教中国禅宗的始祖。

《易筋经》，又称《达摩易筋经》，是少林寺众僧演练的最早功法之一。习练此功，可以使人体的神、体、气三者紧密地结合起来，使五脏六腑及十二经脉得到充分的调理，有平衡阴阳、舒筋活络、增强人体各部生理功能的作用，从而达到健体、御邪祛病、抵御早衰、延年益寿之目的。

按：许禹生在《少林十二式》叙中所提到的少林、达摩，以及少林外家、武当内家等，反映了当时武术界人士对武术史的基本认知，有其时代的局限性。

《少林十二式》目次

少林十二式

绪言

世之言拳术者，多宗少林，而少林之传，始自达摩五祖[①]。盖于五代之季，来居此寺，见僧徒等虽日从事于明心见性[②]之学（参禅静坐以求明悟之类），然类皆精神萎靡，筋肉衰弱，每值说法入坐，即觉昏钝不振，殆于身心合一，性命双修之意，尚未彻悟也。乃训示徒众曰："佛法虽外乎躯壳，然未了解此性，终不能先令灵魂与躯壳相离，是欲见性，必先强身，盖躯壳强而后灵魂易悟也（虽系宗教家言，然与今世体育家所主张身心合一，精神与肉体同一锻炼之说吻合）。果皆如众生之志靡神昏，一入蒲团，睡魔即侵，则见性之功，俟诸何日？吾今为诸生先立一强身术，每日晨光熹微，同起而习之，必当日进而有功也。"乃为徒众立一练习法，其前后左右不过十八式而已，名十八罗汉手（见《少林拳术秘诀》[③]）。后人变化增添，以作技艺，曰少林派。又尝观达摩大师传岳武穆之《内壮易筋经》，少林寺僧多传习之。经分上、下两卷，有内、外功之别。内功主静，炼气为主；外功主动，炼力为主。内功程序，计分五步。（一）首积气腹中，以为基础。（二）次锻炼前身胸肋各部，附骨筋膜（膜为包骨，白色，筋层今名曰腱），使气充盈胸腹两胁。（三）锻炼腰背脊骨筋膜，使气盈脊骨。（四）上体气既用遍，深层筋膜腾起，乃导行四肢（先上肢后下肢。其锻炼各法，均载原经，兹不赘述）。（五）内壮已成，方行外壮以增勇力。下卷十二式，盖锻炼外壮者也，与少林拳术之十八罗汉手大半相同，疑出一源。且十二式为原本所无，始少林寺僧好事者增入之耳，故仍[4]名为少林十二式。今以其原有图式为主，而参以罗汉手中运动之意，兼采拳术之各种桩步，本体操教练之法，每式编作法数节，由浅入深，由简而繁，视各式可合作者，则为连续之，以便教练[5]。并为体察运动部分，主要骨骼筋肉，分注于下，以明运动生理。就原有歌诀，阐明其义，以唤起学者之注意，复本其姿势动作，以求应用之所在，用作习拳术者之初步云。

注 释

①达摩五祖：即禅宗五祖，为达摩祖师、二祖慧可、三祖僧璨、四祖道信、五祖弘忍。

②明心见性：明本心、见不生不灭的本性，乃禅宗悟道之境界。明心，发现自己的真心；见性，见到自己本来的真性。

清末民初的武术家们认为通过武术的训练，可以达到“见性成佛道”的境界。正如许禹生所说：“余尝谓人身系精神与肉身二者合成，锻炼方法，自应本身、心合一，二者兼施之旨，方能有效，俾合于近代体育上之修养，使人人得完成其人格。”

③《少林拳术秘诀》：作者陈铁笙，出版于民国四年（1915年），是民初影响较大的武术著作。《少林十二式》绪言中“始自达摩五祖，盖于五代之季，来

居此寺，见僧徒等虽日从事于明心见性之学（参禅静坐以求明悟之类），……每日晨光熹微，同起而习之，必当日进而有功也”之语均出自《少林拳术秘诀》。

④ 仍：据文意，应为“乃”字。

⑤ 十二式为原本所无……以便教练：许禹生编写的《少林十二式》是其参照少林拳术的一些动作改编而成的，被作为北京体育研究社所办体育学校的武术教材，及练习各种武术共同的基本功，后呈送教育部被批准为中、小学体育教材。

民国初年（1912 年），在教育界有识之士的推动下，武术开始进入学校。因为缺乏由浅入深、由简而繁、易教易学、行之有效的武术教材，所以许禹生等开始进行教材的编写，其尝试吸取西方体育的某些教学元素，配以口令，将武术体操化；又以现代科学解释运动对人体的作用；同时又竭力保留中国武术文化，“就原有歌诀，阐明其义，以唤起学者之注意，复本其姿势动作，以求应用之所在”。故《少林十二式》与《太极拳单式练习法》等，都是中国武术与西方体育相互融合的尝试产物，也是这一时期武术教材的特点，即“按习他种科学的方法排列之，使教授者本之，易于教学，学者遵之，易求进步，庶可底于成功也”。这对以工业化方式快速普及推广武术起了很好的作用，但也暴露出两种体育文化融合的不易和缺陷，需要研究和克服。

凡习此功者，应先排步直立，呼浊吸清，挣腰鼓肘（此乃足肘，即膝也），凝神静气，端正姿势，然后行之。行时务使动作与呼吸相应，久之则气力增长，精神活泼，实为学拳术者成始成终之工夫，幸勿以其简易而忽之也。

教练此法宜先依体操口令，令学生立正，次察看地势，令全队分作若干排，如分前后两排，则于呼一二报名数后，发前行向前几步走之口令，次发单数或双数向前几步走之口令，总以行列疏整、手足动作互无妨碍为度。如教练直立势，则立定后须呼脚尖靠拢之口令，然后动作。

此十二式，直立式居半，前数势每势只一动作，依体操规例可连续为之而成一段，以便教练。若单练一式时，则可先呼出式名，末字改呼数字，随其动作而施口令。

第一式　屈臂平托式原名韦驼献杵第一式。取两手当胸，平托一物，献递于人之意。亦名环拱式，又名上翼式，则因形态命名也

原文

立身期正直，环拱手当胸，气定神皆敛，心澄貌亦恭。

解曰

此为直立式之一。作此式时，须气沉丹田，精神内敛，心澄志一，貌自恭敬，乃正身直立，作立正式，平屈两臂，掌心向上，自胁下循胁徐徐上托，至胸前停顿，双腕平直，屈肱内向，环拱胸前，故

曰环拱手当胸也。本此义编作法四节如后。

作法

第一节　二动。(一) 屈臂平托；(二) 两手下按。

(一) 由预备式，两臂平屈，两肘上提，使与肩平；同时两手作掌，掌心向上，由两胁下（软肋处）顺胁上托，指尖相对，经胸骨前至两乳上停顿，指尖相对，两眼平视；同时足踵提起（图1)。(二) 两掌翻转向下，至胸窝处，分顺两胁下按，至胯傍[①]停止，还原预备式（图2)。

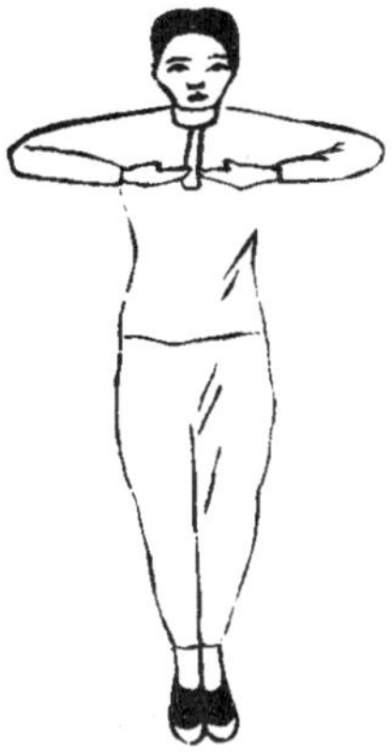

图1　屈臂平托

图2　两手下按

第二节　四动。(一) 屈臂平托；(二) 横掌前推；(三) 屈臂平托；(四) 两手下按。

(一) 屈臂平托，与第一节（一）动同。(二) 两手翻转向前（掌横指对手心向前)，伸臂平前推（腕骨与肩水平)。(三) 两臂收回，复（一）之姿动势。(四) 两手下按，与第一节（二）动同。

第三节　四动。(一) 两臂平屈；(二) 两臂平分；(三) 屈臂平托；（四）两手下按。

（一）由预备式，两肘上提与肩水平，同时平屈两臂，掌心向下，指尖相对，经胸骨前，至两乳上停顿。（二）由上动作两臂上膊骨不动，前膊骨顺水平度分向左右平开，至成一直线为度。（三）上膊骨不动，两臂下屈，两掌经胸骨前上托，至两乳上停顿，如第一节（一）动姿势同。（四）两手下按，与第一节（二）动同。

第四节　六动。（一）两臂平屈；（二）两臂平分；（三）屈臂平托；（四）横掌前推；（五）屈臂平托；（六）两手下按。

（一）两臂平屈，与第三节（一）动同。（二）两臂平分，与第三节（二）动同。（三）两臂平托，与第三节（三）动同。（四）横掌前推，与第二节（二）动同。（五）两臂屈回，复（三）之姿势。（六）两手下按，与第一节（二）动同。

注释

①傍：应作“旁”字，下同。

运动部分

此式为上肢运动及肩臂运动也，主要部分为肩胛骨、尺骨、桡骨及所属筋肉。屈前臂时，为肘关节之屈曲，主动筋肉为二头膊桡骨筋、内膊筋。平托时手掌外旋，则桡尺骨关节之后回运动也，主动筋肉为后回筋、膊桡骨筋。翻掌前推时，则桡尺骨关节之前回运动也，主动筋肉为回前方筋、回前圆筋。

注意及矫正

本式运动，屈臂平托时，宜松肩勿耸。横掌前推时，两臂宜伸直勿屈，肩、肘、腕三者水平，想其力由肩而肘、而腕，以意导之，使达于指尖为度，两手手指相对，掌心向前吐力。两臂平分时，臂宜伸直与肩水平，眼平视，颈项挺直，下颚骨内收，气沉丹田（即小腹），精神专注，以心意作用、运动肢体。故动作时，务宜徐缓，勿仅视为机械的运动也。

治疗

此式可以矫正脖项前探、脊柱不正及上气（呼吸粗迫）、精神不振等症，并可扩张胸部、坚凝意志。

应用

本式桡尺骨运动，可练习太极拳之挤劲。腕之翻转，可藉以练习擒拿法之捉腕、滚腕、盘肘等作用。例如，人以两手分握吾之双腕，吾即用本式第二节作法，顺其下擒之力，猛翻两掌，向敌胸前推即解矣。

各节教练口令

第一节　屈臂平托，数一、二。

第二节　屈臂平托前推，数一、二、三、四。

第三节　两臂平屈分托，数一、二、三、四。

第四节　屈臂分托前推，数一、二、三、四、五、六。

第二式　两手左右平托式原名韦驼献杵第二式。取两臂自左右平举，两掌平托一物，献递于人之意

原文

足趾挂地，两手平开，心平气静，目瞪口呆。

解曰

作此式时，须先意气和平，心无妄念，呼吸调静，乃运动两臂，徐徐自左右上托（掌心向上），以腕与肩平为度，足踵随之提起，两眼平视，闭口使呼吸之气由鼻孔出入。今本此义，编作法五节如后。

作法

第一节　二动。（一）两臂左右平托；（二）两臂还原。

（一）由立正式，两臂自左右向上平举，俾与肩平，或较肩略同，掌心向上；同时两踵随之提起（图3）。（二）掌心下转，两臂徐徐下落，还原立正式（图4）。

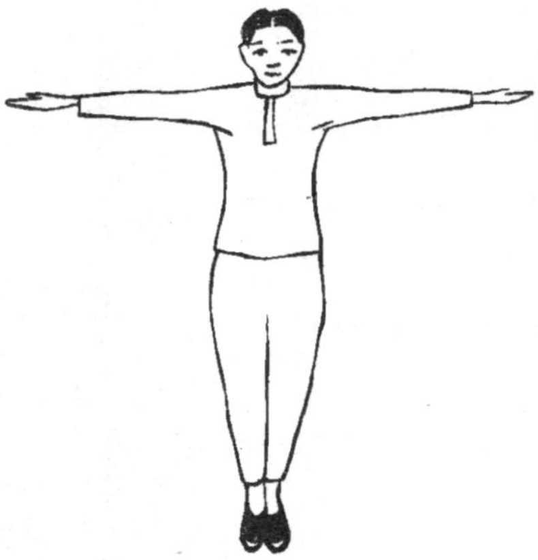

图3　右平托式

图4　两臂还原

第二节　三动。（一）两臂前举平托；（二）两臂左右平分；（三）两臂下落。

（一）由立正式，两足尖靠拢，两臂垂直，由下用力向前平举，与肩水平，掌心向上，若托物然；同时两踵随之提起。（二）两臂分向左右平开，至一直线，如本式第一节（二）动之姿势。（三）两臂下落，还原立正式。

第三节　三动。（一）屈膝两臂前举平托；（二）直膝两臂平开；（三）两臂下落。

此节乃兼下肢运动之连续动作也，于伸臂前托时，同时两膝前屈，余均同前。

（一）两臂自下向前平举，掌心向上；同时两膝前屈，膝盖靠拢，足踵不可离地。（二）两臂分向左右平开；同时两膝直立，足踵提起。（三）两臂徐徐下落，足踵亦随之落地。

第四节　四动。（一）透步交叉；（二）两臂平托；（三）两臂还原；（四）并步立正。

（一）左足移至右足踵后方，作透步交叉式。（二）两臂自左右向上平托，两踵提起。（三）两臂、两踵还原。（四）左足并步，还原立正。（二）（二）（三）（四）与（一）（二）（三）（四）式同，惟右足作透步式[①]。

第五节　四动。（一）透步前举；（二）两臂平分；（三）两臂平落；（四）并步立正。

（一）左足移至右足踵后方作透步式，同时两臂自下向前上平托。

（二）两臂分向左右平开。（三）两臂下落，两踵还原。（四）左足并步，还原立正。（二）（二）（三）（四）与（一）（二）（三）（四）式同，惟右足作透步式。

注释

① 透步式：左足移至右足踵后方，或右足移至左足踵后方。

运动部分

此式为上肢与下肢运动也，运动主要部分为旋肩胛骨之前后轴及尺骨肘头骨。其主要筋肉，左右平托起落时为三角筋、棘上筋、桡骨筋、小圆筋，平开时兼大胸筋之运动。前举平托时为旋肩胛关节之运动，主要筋肉更有二头胸筋及鸟嘴转筋。足踵提起时，即以足支持体重，放下时使足踵关节伸展也，其主要筋肉为后胫骨筋、比目鱼筋、长足跖筋、腓肠筋等。

注意及矫正

作此式时，两臂平直，身勿欹，侧脊骨中正，以头顶领起全身，腿部尤须着力。足踵起落时，慎勿牵掣动摇，及猛以足踵顿地，震伤脑筋。各动作均宜徐徐提起，缓缓而落，以意导力，达于十指，隐觉热气下贯，方为得益。分托、平托时，注意掌心平开时，宜与肩平。松肩，臂下落时，宜徐徐下落，如随地心吸引力自然下落，则气达指尖矣。

治疗

此式舒展胸膈，发育肺量，治胸臆胀满不宁及呼吸促迫等症。

应用

平开式，练习太极拳之胸靠。前托式之用，如敌出双手迎面击来，我蹲身从下用双手平托其两肘前送，敌即迎面倒去。或敌以两拳作双风贯耳式，从两侧敌①头部，我则进身以两手由内分格敌腕部或臑部，从而击之也。

注释

① 敌：据上下文意，应为“攻”字。

教练口令

第一节　两臂左右平托，数一、二。

第二节　两臂前举分托，数一、二、三。

第三节　屈膝前举分托，数一、二、三。

第四节　透步左右平托，数一、二、三、四，二、二、三、四。

第五节　透步前举分托，数一、二、三、四，二、二、三、四。

第三式　双手上托式原名韦驼献杵第三式。取两手举物过顶，敬献于人之意。一名，手托天式

原文

掌托天门目上观，足尖着地立身端，力周腿胁浑如植，咬紧牙关不放宽，舌可生津将腭抵，鼻能调息觉安全，两拳缓缓收回处，用力

还将挟重看。

解曰

此亦为直立式。直身而立，足尖着地，两臂由左右高举，两手反转上托，掌心向上，若托物然，及托至顶上，两臂伸舒，两手指尖相对，目上视，闭口，舌抵上腭，气从鼻孔出入，呼吸调匀。足踵提起，力由腿部而上，周于两胁，复运腋力顺两臂贯注掌心，达于指端，始缓缓落下，还立正式。（“原文”收回时作拳，此仍作掌）本此义编作法四节如后。

作法

第一节　二动。（一）两臂高举；（二）两臂下落。

（一）由立正式，两臂由左右向上高举至头上，两手上托，掌心向上，十指相对，目上视；同时两踵提起（图5）。（二）两臂下落，还原立正式，足踵亦随之下落（图6）。

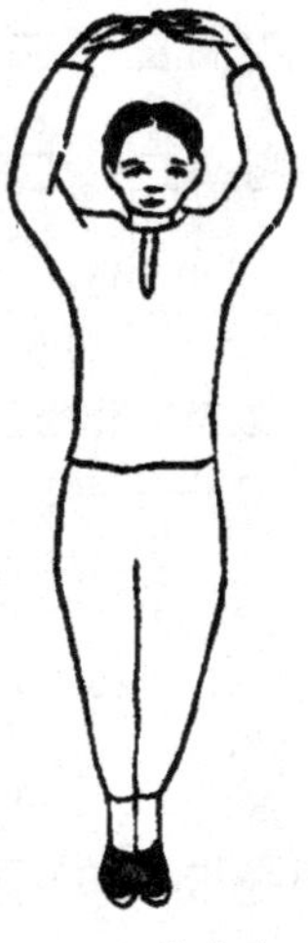

图5　双手上托式

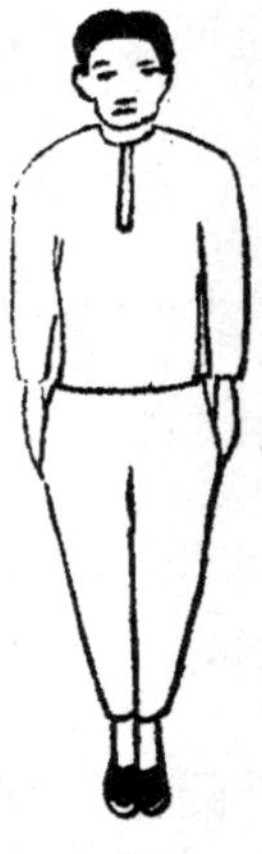

图6　两臂还原

第二节　四动。(一）屈臂平托；(二）两臂平分；(三）两臂高举；(四）两臂下落。

(一）屈臂平托，与第一式第一节（一）动同。(二）两臂平分，与第一式第三节（二）动同。（三）两臂高举，与本式第一节（一）动同。(四）两臂落下，还原立正式。

第三节　四动。(一）前举平托；(二）两臂平分；(三）两臂高举；(四）两臂下按。

(一）两臂前举平托，与第二式第二节（一）动同。（二）两臂平分，与第一式第二节（二）动同。(三）两臂高举，与本式第一节（一）动同。(四）两臂下按，与第一式第一节（二）动同。

第四节　四动。(一）交叉屈臂；(二）两臂平分；(三）两臂高举；(四）两臂下按。

(一）由立正式，右足外撇，左足移至右足后方，足尖与右足尖相对，两足踵与两足尖均在一直线上，两膝微屈，作交叉步，同时两臂平屈。(二）两臂平分。(三）两臂高举。(四）两臂下落，同时左足还原立正式。(二）（二）（三）(四）与（一）（二）（三）（四）式同，惟右足行之。

运动部分

此式为全身运动，其注意之点为肩腕及足胫。两臂上托时，运动肩胛关节及肩胛带，主动筋肉为前大锯筋[①]、僧帽筋[②]、三角筋[③]、棘上筋[④]等。下落时，主动筋肉为棘上筋、十圆筋[⑤]、大胸筋等。

注释

① 前大锯筋：现名前锯肌，位于胸廓下的外侧皮下，胸大肌侧下方，上部为胸大肌和胸小肌所遮盖，将肩胛骨内侧向前拉的胸部肌肉，每组两块的前锯肌从胸前部的肋骨开始，围绕体侧延伸到肩胛骨，起稳定肩胛骨作用。

② 僧帽筋：现名斜方肌，覆盖颈部到背脊的肌肉。斜方肌自颈部根处至肩膀前端的肌肉，起自上项线、枕外隆凸、项韧带及全部胸椎棘突，止于锁骨外三分之一、肩峰、肩胛冈的肌肉。

③ 三角筋：现名三角肌，俗称“虎头肌”，因为它突出上臂，体积较大，酷似虎头，显得很威猛。

④ 棘上筋：即棘上韧带，是架在各椎骨棘突尖上的索状纤维软骨组织，由腰背筋膜、背阔肌、多裂肌的延伸（腱膜）部分组成。

⑤ 十圆筋：小圆肌，位于冈下肌下方，冈下窝内，肩关节的后面。大圆肌，是位于人体小圆肌下侧的一个部位，其下缘为背阔肌上缘遮盖，整个肌肉呈柱状，起于肩胛骨下角背面，肌束向外上方集中，止于肱骨小结嵴。

注意及矫正

两臂高举时，两臂伸直勿屈，掌心向上，用力上托，目上视，两肩松勿上耸。提踵时，力由尾闾骨循脊骨上升，达于顶上。下按时，气沉丹田。行之日久，则身体自强矣。

治疗

调理三焦及消化系诸疾，如吞酸、吐酸、胃脘停滞、中气不舒、肠胃不化等疾。

应用

增加举物之力，可以练习太极拳中白鹤亮翅式、提手上式。

教练口令

第一节　双手上托，数一、二。

第二节　屈臂平分上托，数一、二、三、四。

第三节　前举平分上托下按，数一、二、三、四。

第四节　交叉屈臂平分上托，数一、二、三、四，二、二、三、四。

第四式　单臂上托式原名摘星换斗式，一名朝天直举，又名指天踏地，即八段锦中之单举式也，一手朝上托，若摘星斗，两手互换为之，故名

原文

只手托天掌覆头，更从掌内注双眸，鼻端吸气频调息，用力收回左右侔。

解曰

此亦为直立式，上肢之运动也。以只手作掌，由侧面向上高举，掌心向上托，覆于顶上，目上视，鼻端吸气，臂下落时气向外呼。左右互换。今本此义，编作法五节如后。

第一节　四动。（一）左臂上托，右臂后屈；（二）两臂还原；（三）右臂上托，左臂后屈；（四）两臂还原。

（一）由立正式，左臂自左侧向上高举上托，掌心向上，指尖向右，头仰视手背，上体随之半面向左转，同时右臂后回，屈肱横置腰间，掌心向外，以手背附于左肾，支住上体后仰之力（图7）。（二）两臂放下，

还原立正式。(三) 右臂自右侧向上高举，左臂后回，上体半面向右转，与第（一）动同（图8)。(四) 两臂放下，还原立正式。

图7　左臂上托

图8　右臂上托

第二节　二动。(一) 左臂上托，右臂后屈；(二) 右臂上托，左臂后屈。停动，两臂放下。

(一) 左臂自左侧高举上托，同时右臂后屈。(二) 右臂自右侧高举上托，同时左臂后屈。左右互换，连续为之。(还原) 两臂放下，还原立放式[①]。

第三节　左右各四动。(一) 左臂平托，右臂后屈；(二) 左臂平分；(三) 左臂上托；(四) 两臂放下。

(一) 左臂自下向上屈臂平托，至胸骨前为止，掌心向上，同时右臂后回，屈肱横置腰间。(二) 右臂不动，左臂自胸前向左平分，与肩平为止，目视左手。(三) 左式[②]上托，与本式第一节（一）动同。（四）两臂下落，还原立正式。（二）（二）（三）（四）与（一）（二）（三）（四）同，惟右臂行之。

第四节　左右各五动。（一）左臂平托，右臂后屈；（二）左臂平分；（三）左臂上托；（四）左臂下按，上体前屈；（五）上体还原。

（一）与本式第三节（一）动同。（二）与第三节（二）动同。（三）与第三节（三）动同。（四）左臂下落，掌心向下，经面前，沿右肩，经胯傍，循腿下按，以掌心按地为止。同时，上体向左前方深屈。（五）上体直立，左掌经过足趾前收回，两臂垂直，还原立正式。（一③）（二）（三）（四）（五）与（一）（二）（三）（四）（五）同，惟右臂行之。

第五节　左右各四动。（一）透左步，左臂平托，右臂后屈。（二）左臂平分。（三）上体左后转，左臂上托。（四）两臂还原。

（一）左足移至右足踵后方，作透步式，同时左臂平托，右臂后屈。（二）左足不动，左臂平分。（三）上体左后转，两足靠拢，同时左臂随上体后转高举上托。（四）两臂落下。

（二）右足移至左足踵后方，作透步式，同时右臂平托，左臂后屈。（二）右足不动，右臂平分。（三）上体右后转，两足靠拢，同时右臂随上体后转，高举上托。（四）两臂落下。

注释

① 立放式：根据上下文意，应是“立正式”。

② 左式：据上下文意，应是“左臂”。

③ 一：据上下文意，应是“二”。

运动部分

此式为上肢、头部、腰部及下肢之运动也。臂上托时，为肩胛关节及肩胛带之运动，主要筋肉为大锯筋、僧帽筋、三角筋、棘上筋。臂后屈为肘关节之运动，主动筋肉为二头膊筋、膊桡骨筋、内膊筋。头后屈，目上视，为头关节前后轴及横轴之运动，主要筋肉为后大小直头筋、上斜头筋、头夹板筋、头长筋、头半棘筋。上体侧转，为腰部筋肉运动，凡断裂筋、旋背筋及其他腹筋，均受其影响。上体前屈，脊柱前屈也，腰椎部所屈最多，小腰筋、直腹筋、肠腰筋，均为其主要筋肉。透步交叉，均为运动下肢筋肉。由此观之，此单臂运动，倘运动得宜，则十二节运动可以普及，较体操之双臂齐出之动作，至为有效也。

注意及矫正

屈臂平托时，目宜视前方；臂平分时，目宜随之旋转；上托时则仰首注视掌背；臂下落则还原正视。上体左右旋转，两腿仍直立勿动，臂后屈手宜支住腰肾，其手背贴附之力，须与上托之臂相应。步交叉时，上体宜直立，勿前倾。

治疗

调理脾胃及腰肾诸疾。

应用

练习拳术中领托诸劲，转身透步各法，为灵活肩腰及下肢，使之有屈伸力。

教练口令

第一节　单臂上托，数一、二、三、四。

第二节　单臂互换上托，数一、二。

第三节　单臂平分上托，数一、二、三、四，二、二、三、四。

第四节　单臂平分上托下按，数一、二、三、四，二、二、三、四。

第五节　透步转身上托，数一、二、三、四，二、二、三、四。

第五式　双推手式

原名出爪亮翅式。两手作掌前推，如鸟之出爪，由后运臂向左右分展，如鸟之亮翅也，乃合十八手中之排山运掌及黑虎伸腰二式为一式而施运动者也。形意中之虎形、八卦之双撞掌、太极拳之如封似闭、岳式连拳之掌舵式，盖均取法于此。岳武穆平生以善双推手得名，言少林拳术者，每称之为鼻祖，故取以名。此式云：五禽经之虎、鸟二形，亦与此相近

原文

挺身兼怒目，推手向当前，用力收回处，功须七次全。

解曰

挺者，直也。挺身者，身体挺直之谓也。当前者，向胸前正面也。挺身而立，目前视，两手作掌，向前双推，然后用力握拳收回。原文未含亮翅动作意，今本其意，参以十八手中二、三两式，分节编作法六节如后。

作法

第一节　二动。（一）立正抱肘；（二）两手前推。

（一）由立正式，两臂屈，两手握拳，手心向上，分置两胁下，作抱肘式，目平视。（二）两拳变掌，徐徐向前平推与肩齐，手心向

前（图9）。

（一）两掌上翻，手心向上，握拳屈回，仍还抱肘式。（二）两手仍向前推，如此反复行之，停动。两臂放下，还原立正式。

第二节　二动。（一）立正抱肘；（二）开步前推。

（一）与本式第一节（一）动同。（二）两掌向前平推，同时左足前进一步，屈膝作左弓箭步式（图10）。（三）两拳上翻，手心向上，仍握掌，两臂屈回，还原抱肘式。（四）与（二）动同，惟右足前进。停动，右足收回，两臂放下，还原立正式。

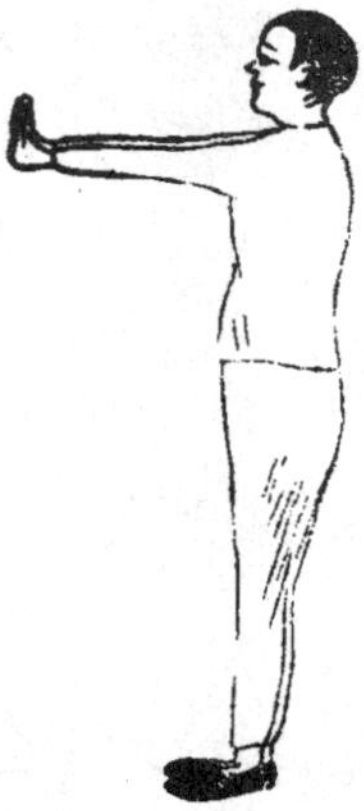

图9　两手前推式

图10　两手分推式

第三节　四动。（一）立正抱肘；（二）开步蹲身前推；（三）还原抱肘；（四）两臂放下。

（一）与本式第一节（一）动同。（二）两掌向前平推，同时左足侧出一步，屈膝作骑马式，上体仍直立勿动。（三）两臂屈回，两膝伸直，右足靠拢，还原抱肘式。（四）两臂放下。（二）（二）（三）

（四）与（一）（二）（三）（四）式同，惟右足侧出。

第四节　四动。（一）开步抱肘；（二）转身推掌；（三）还原抱肘；（四）并步立正。

（一）屈臂作抱肘式，同时右足侧出一步。（二）上体向左转，屈左膝作左弓箭步，同时两掌向前平推，作转身推掌式。（三）两臂屈回，上体向右转，还原开步抱肘式。（四）左足①收回靠拢，两臂放下，还原立正式。（二）（二）（三）（四）与（一）（二）（三）（四）式同，惟右足侧出，两掌前推耳。

第五节　四动。（一）立正抱肘；（二）开步前推；（三）探身分推；（四）还原立正。

（一）与本式第一节（一）动同。（二）开步前推，与本式第二节（二）动同。（三）上体微向前探，同时两掌分向左右平推与肩平，手指向上，掌心吐力。（四）两臂放下，左腿亦收回还原立正式。（二）（二）（三）（四）与（一）（二）（三）（四）同，惟右足前进耳。

注释

① 左足：据上下文意，此应为“右足”。

运动部分

此式为上肢、下肢等运动。前推时，主要筋肉为二头膊筋、鸟嘴膊筋。分推时，为三角筋、棘上筋、桡骨筋及大胸筋。足前进屈膝，主要筋肉为半膜样筋、半腱样筋、二头股筋、薄骨筋、缝匠筋等。

注意及矫正

前推时，手腕宜与肩平，手指挺直勿屈。分推时，臂宜伸直，掌心吐力，上体前探，不宜过屈。膝前屈时，后足足踵不可离地。

治疗

此式分推时，可舒展胸膈，发育肺量，治胸臆胀满等症。

应用

可以练习八卦掌中之双撞掌、太极拳之如封似闭、岳式连拳之掌舵式等。

教练口令

第一节　两掌前推，数一、二。

第二节　进步前推，数一、二。

第三节　蹲身前推，数一、二、三、四，二、二、三、四。

第四节　开步左右推掌，数一、二、三、四，二、二、三、四。

第五节　进步分推，数一、二、三、四，二、二、三、四。

第六式　膝臂左右屈伸式原名倒拽九牛尾式，取周身用力后拽状，若执牛尾者然，一名回身掌式

原文

两腿后伸前屈，小腹运气空松。用力在于两膀，观拳须注双瞳。

解曰

由立正式，两足分开，右（左）腿屈膝，左（右）腿伸直，作蹬

弓式桩步。同时右（左）臂亦向右（左）侧方伸出，仰手拢五指作猴拳。肱略屈，左（右）臂背手，向左（右）后伸，仰手拢五指作猴拳，臂膀用力，气沉丹田，两眼注视前拳。本此义编作法三节如后。

作法

第一节　四动。（一）开步两臂侧举；（二）两臂前后屈伸；（三）还原侧举；（四）两臂前后屈伸。

（一）由立正式，左足侧出一步，两膝屈作骑马式桩步。同时两臂左右侧举，俾与肩平，两手作掌，掌心向下，目前视（图 11）。（二）左足尖扭转外移，左膝前弓；右足尖内扣，右腿伸直，作左弓箭步桩。同时上体向左转，左臂屈肱，肘弯处应成钝角，左掌五指拢撮作钩形，屈腕向上，掌指均对鼻端，右臂微下垂，弯转身后，右掌亦作钩形，背手向上，目视左手（图 12）。（三）两膝仍屈，还原骑马式。同时两臂伸直，复（一）之姿势。（四）上体右转，右膝前屈，左腿伸直，右臂屈肱，左臂在后伸直，两掌作钩形，目视右手。

（还原）两臂放下，两足并齐，还原立正。

图 11　两臂侧举

图 12　左转膝臂屈伸

第二节　二动。（一）左转膝臂屈伸；（二）右转膝臂屈伸。

（一）由立正式，上体左转，左足侧出一步，屈膝前弓，右腿在后伸直，左臂侧举，屈肱向上，右臂后伸，两手作钩，与本式第一节（二）动同。（二）右臂自右下方旋至上方，屈肱作钩；同时身向右转，两足随之右转，成右弓箭步，左臂下转作钩，目视右手。（还原）与第一节同。

第三节　三动。（一）左转膝臂屈伸；（二）护肩掌；（三）开步推掌。

（一）与本式第二节（一）动同。（二）左足收回半步，足尖点地，贴右足踵侧，右膝亦屈，作左丁虚步桩；同时左臂屈回，左钩变掌，置于右肩前，作护肩掌式。（三）左腿复前进半步，左膝还原左弓箭步桩；同时左掌向前推出与肩平，坐腕立掌，五指向上，右手仍在后作钩形。

（二）与本式第二节（二）动同。（二）右足收回，作右丁虚步，右臂屈回，右钩变掌，置于左肩前，作护肩掌式。（三）右腿前进，仍还原右弓箭步，右掌向前平推，作开步推掌式。(还原）同上。

运动部分

此式亦上肢及下肢运动也。两臂侧举，其主要部分为旋肩胛关节。屈肘为肘头关节。侧举时，主要筋肉为三角筋、棘上筋、桡骨筋、小圆筋。屈肘时为二头膊桡骨筋、内膊筋。手腕屈伸，其主要筋肉为内桡骨筋、内尺骨筋、浅屈指筋等。

注意及矫正

两臂侧举，宜与肩平，两肩勿耸起，上体宜直立。足侧出作骑马步时，两足尖均应向同一的方向；作弓箭步时，踏出之腿尽力屈膝，但不可过足尖，后腿尽力伸直，足踵不可离地。

治疗

可以疗治腿、臂屈伸不灵活诸病。

应用

可以练习拳术之骑马式，弓箭步等桩步。

教练口令

第一节　膝臂屈伸，数一、二、三、四，二、二、三、四。

第二节　膝臂屈伸互换，数一、二、三、四，二、二、三、四。

第三节　膝臂屈伸护肩，数一、二、三、四，二、二、三、四。

第七式　屈臂抱颚式一名九鬼拔马刀式。盖因马刀甚长，非自背后拔刀，不能出鞘，此乃仿其形式而为动作者。又即导引术之鸱顾，头向左右顾视如鸱也

原文

侧身弯肱，抱项及颈，自头收回，弗嫌力猛，左右相轮，身直气静。

解曰

此亦为直立姿势，侧身而立，头向左右顾视，左（右）臂自头侧方高举，向对方屈肱，以左（右）手搬抱下颚骨，同时右（左）臂屈肱后回，横置腰间。下肢直立勿动，呼吸调匀，心定气静。左右互换为之。今本此意，编作法三节如后。

作法

第一节　四动。（一）两臂平举；（二）屈左臂抱颚，右臂后回；（三）还原平举；（四）屈右臂抱颚，左臂后回。

（一）由立正式，两臂自左右向上平举，与肩水平，掌心向下（图 13）。（二）头向右顾，颈向左屈，左臂向对方屈肘于头后，以左手手指搬抱下颚骨，同时右臂屈肘后回，横置腰间，掌心向外。下肢均直立勿动。（三）两臂还原侧举，头亦直立。（四）头向左顾，颈向右屈，右臂高举，向对方屈肘于头后，以右手手指搬抱下颚骨，同时左臂屈肘后回，横置腰间，掌心向外（图 14）。如此左右互换为之。

（还原）两臂放下，还原立正，头恢复直立。

图 13　两臂平举

图 14　屈臂抱颚

第二节　二动。（一）屈左臂抱颚；（二）屈右臂抱颚。

（一）由立正式，头向右顾，颈向左屈，左臂高举，向对方屈肘，以左手搬抱下颚骨，同时右臂屈肘后回，与本式第一节（二）动同。（二）头向右顾，颈向左屈，右臂高举，向对方屈肘，以右手搬抱下颚骨，同时左臂下落，屈肘后回，与本式第一节（四）动同。如此左右互换为之。

（还原）同第一节。

第三节　二动。（一）右臂侧举，上体向左屈；（二）左臂侧举，上体向右屈。

（一）由立正式，上体向左屈，右臂自侧方向上高举于头上，微向左屈，右手小指、无名指与拇指拢合一处，其余二指伸直，随身向左下方指，同时左臂屈肘后回，横置腰间，眼下视左足踵。（二）上体向右屈，左臂自下高举于头侧，微向右屈，右手小指、无名指与拇指拢合一处，其余二指随身向右下侧指，同时右臂屈肘后回，横置腰间，眼下视右足踵。如此左右互换为之。

（还原）同上。

运动部分

此式为头部、上肢及腰部运动。头侧屈，为头关节前后轴及横轴之运动，主要筋肉为大后直头筋、小后直头筋、上斜筋、夹板筋、头长筋、头半棘筋等。臂侧举时，其主要筋肉①为三角筋、棘上筋、桡骨筋、小圆筋。臂上举屈肘时，为肩胛关节及肘关节之运动，主要筋肉为前大锯筋、僧帽筋、二头膊筋、膊桡骨筋、内膊骨筋等。上体向左右屈，为脊柱侧屈，两傍筋肉交互动作，主要筋肉为荐骨脊柱筋、横棘筋、方形腰筋、外斜腹筋等。

注释

① 肉：此字据上下文意补。

注意及矫正

头侧屈时，勿前俯后仰，颚勿前突，肩勿上耸。侧身时，以脊椎为枢纽，左右转动为之，上身挺直。腰侧屈时，下肢直立勿动。

治疗

矫正脖项前探及脊柱不正等癖，并疗治头目不清（脑充血）、脖项酸酸、脊背疼痛诸病。

应用

练习贴身背靠及刀术之缠头、拳术中之进身钻打等。

教练口令

第一节　屈臂抱颚，数一、二、三、四。

第二节　屈臂抱颚互换，数一、二。

第三节　上体向左右屈，数一、二。

第八式　掌膝起落式一名三盘落地式，取肩、肘、膝三部均圆满如环之意

原文

上颚坚撑舌，张眸意注牙，足开蹲似锯，手按猛如挐，两掌翻齐起，千觔重有加，瞪睛兼闭口，起立足无斜。

解曰

两腿下蹲，足尖落地，作骑乘式之八字桩，两臂垂张，如鸟之两翼，手掌分按两膝上（掌心约离膝三四寸）。复挺身起立，屈臂用力，翻转两掌上托（掌心向上），掌锋贴置两肋下（屈肘尖向后）。足尖勿动，闭口舌抵上颚，目向前平视。本此义编作法二节如后。

作法

第一节　二动。（一）开步屈肘；（二）屈膝下按。

（一）由立正式，左足向左踏出一步，两足尖外撇，成八字形；同时两臂屈于两肋傍，两手作掌，掌心向上（图 15）。（二）两踵提起，两膝半屈，同时两臂下伸伸直，手腕下转，掌向心下①，十指伸

直，作屈膝下按式，眼平视前方（图16）。（一）两膝伸直，两踵落地（习熟后不落），两臂屈回，还原开步屈肘式。（二）再举踵屈膝下按，如此反复行之。（还原）（一）两膝伸直，两踵落下，两臂屈回，还原开步屈肘。（二）左足靠拢，两臂放下，还原立正式。

图15　开步屈肘

图16　屈膝下按

按：上文重复编号意为“如此反复行之”。

第二节　四动。（一）开步屈肘；（二）两膝深屈，两臂下伸；（三）两臂上举，体向后屈；（四）两臂放下，还原立正。

（一）开步屈肘，与本式第一节（一）动同。（二）两踵举起，两膝深屈，同时舒展两臂，由两肋傍经小腹、腿裆前，坐身两臂向下伸直，手腕下转，掌心向内，上体仍直立勿动，眼平视。（三）两臂向上高举，俟举上时，上体微向后屈，同时两手折腕向后。此时两膝仍屈，两臂仍举勿落。（四）两臂由左右下落，上体还原直立，两腿伸直，两踵落地，左足靠拢，还原立正式。如此反复行之。

注 释

① 掌向心下：据文意应为“掌心向下”。

运动部分

此式为全身运动。屈肘时，为肘关节之运动，主动筋肉为小圆筋、棘下筋、三角筋等。两手下按，主动筋肉为小肘筋、三头膊筋。两臂上举，为肩胛关节及肩胛带之运动，主动筋肉为二头膊筋、棘上筋、三角筋、大胸筋。上体后屈，为脊柱后屈，主动筋肉为荐骨脊柱筋、横棘筋等。屈膝时为膝关节运动，主动筋肉为半腱样筋、半膜样筋、二头股筋、薄骨筋、缝匠筋。膝伸直时，为四头股筋、广筋膜张筋。足踵起落，为腓肠筋、比目鱼筋、屈蹠筋、长腓骨筋、后屈骨筋、长屈趾筋、短腓骨筋。

注意及矫正

第一节作法，身之起落，以两掌翻转为牵动，以双膝屈伸为枢纽。向上时，头顶虚悬，领起全身；下蹲时，尾闾下降，使气沉丹田，足踵则始终提起（趾尖着地），慎勿游移牵动。上体双手随身起而上翻，降而下按，掌心务极用力（全身重力寄于掌心），贯注与呼吸相应（即起时吸气，降时呼气）。上提时，全脊椎骨直竖；下降时，胸骨内含，首项勿向前突出。第二节作法，身体后仰时，两腿宜仍蹲踞，庶免重点移出身外，致仰倒也。

治疗

治两足无力，胸膈不舒，气不下降诸疾。

应用

久练此式，可使人身体轻健，下肢筋肉发达，以强健胫骨，且增膝、掌、腰、脊各部之力。练田径赛之跳高、跳远者，尤必习之。第一节练习拳术中上托下按力。第二节作法，后仰时可发展胸肋筋肉；下蹲时，并练习太极拳中海底针下蹲之力。

教练口令

第一节　掌膝起落，数一、二。

第二节　两臂下伸上举，数一、二、三、四。

第九式　左右推掌式一名青龙探爪

原文

青龙探爪，左从右出，修士效之，掌平气实，力周肩背，围收过膝，两目注平，息调心谧。

解曰

此亦为直立式，系以右臂前伸，右手作掌，由右腋下圈转向左伸出，掌心平向前推，运肩背力送之。右臂下落收回，须经过双膝之前，再以左臂向右伸出，掌心平向前推，肩背力送之。然后左臂下落，须经过双膝之前，两目平视，呼吸调均，心自安宁。本此义编作法二节如后。

第一节　四动。（一）立正抱肘；（二）右掌左推；（三）还原抱肘；（四）左掌右推。

图 17　右掌左推

（一）由立正式，两臂上屈，作抱肘式，与第五式第（一）动同。（二）上体与头略向左转，右臂向左伸，右拳变掌，向左推出，手指向上，掌心向外，高与眉齐，左臂仍屈肘勿动，目视右掌，下肢勿动（图 17）。（三）左臂屈回，还原抱肘，上体与头，亦复原状。（四）上体与头略向右转，左臂向右伸，左拳变掌，向右推出，手指向上，掌心向外，高与眉齐，右臂仍屈肘勿动，目视左拳，下肢勿动。如此反复行之。

（还原）自本节数至（四）时，（一）左臂屈回，还原抱肘。（二）两臂放下，还原立正。

第二节　二动。（一）开步穿手；（二）进步放掌。

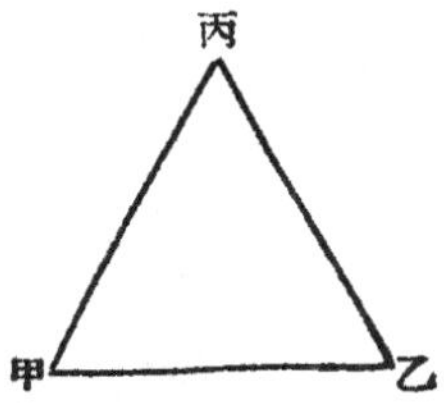

图 18

此式所行之步，为三角形，设底边一角为甲，一角为乙，两顶角为丙（图 18）。练习此式时，（一）由立正式，左足侧出一步（两足距离与肩同），所站之地设为甲角，则右足之所站地为乙角；同时左臂自下向上平举，左手为掌，掌心向右；同时右臂亦举起，屈肘举至左臂傍，右手掌心向内，与左肘接近，手指向上。（二）右腿向前移进一步，所站之地为顶角丙，两膝屈作丁虚步桩；同时右臂顺左臂向前穿出伸直，手腕外转向前推，掌心吐力，但左臂不动，仅可顺右肘之势下沉，万不可抽回。两臂垂肩坠肘，立掌、坐腕、开虎口，两手食指约对鼻准，两掌心相印，若抱物然。（三）右足后退一步，仍退至原所站之地（乙角），两腿伸直；同时右臂不动，左臂屈肘，移于右臂傍，左手掌心向内，与左肘接近，手指向上。（四）左腿前进一步，所站之地为顶角丙，两膝屈作丁虚步桩；同时左臂顺右臂向前穿出一[①]直，手腕外转向前推，掌心吐力，但右臂不动，仅可顺左肘之势下沉，万不可抽回。两臂坠肩垂肘，立掌、坐腕、开虎口，两手食指约对鼻准，两掌心相印，若抱物然。

（还原）练至此式（四）时，两臂放下，左足靠拢，还原立正。

注释

① 一：据文意，此应为“伸”字。

运动部分

此式为头、腰、上肢、下肢等运动。头向左右转时，为头关节之运动，主动筋肉为后大直头筋、头半棘筋、头长筋、头夹板筋、下斜头筋、胸锁乳头筋等。上体左右转时，脊柱回旋也，为腰部筋肉之运动，主动筋肉为断裂筋、旋背筋，其他腹左筋亦交互动物。其上肢、下肢运动筋肉，均与前同。

注意及矫正

头与上体左右转时，及左右手推出，仍宜挺直勿动。两臂推出，宜与肩平，掌心吐力。作第二节换掌，宜松肩垂肘。

治疗

可以矫正上肢、下肢不灵活诸弊。

应用

可以练习太极拳中如封似闭、八卦拳中单换掌、岳氏连拳中之双推手等。

教练口令

第一节　左右推掌，数一、二、三、四。

第二节　换掌，数一、二、三、四。

第十式　扑地伸腰式一名饿虎扑食式

原文

两足分蹲身似倾，伸屈左右腿相更，昂头胸作探前势，偃背腰还似砥平，鼻息调元均出入，指尖着地赖支撑，降龙伏虎神仙事，学得真形也卫生。

解曰

本式系由立正式，右足前进一步，屈膝作右弓箭步桩；同时上体向前屈，以两手五指着地，两臂伸直，头向上抬起，眼平视；然后右足向后撤，与左足相并，两膝伸直，足尖着地，闭口舌抵上颚，呼吸由鼻孔出入。本此义编作法四节如后。

作法

第一节　五动。（一）立正抱肘；（二）进步前推；（三）两手伏地；（四）立身提手；（五）还原立正。

（一）立正抱肘，与第五式第一节（一）动同。（二）进步前推，与第五式第二节（二）动同。（三）上体向前屈，两臂亦随之下伸，以两手掌伏地为止，两臂伸直，头抬起，眼平视（图 19）。（四）右腿屈膝，左腿绷直，变成丁字步桩；同时上体徐徐直立，两臂亦随上体直立，垂于小腹前，手腕外转，手心向前，同时握拳如提物然。（五）右腿伸直，左腿收回靠拢，两手亦垂直腿傍，还原立正式。

第二节　五动。（一）进步前举；（二）两手伏地；（三）右腿高举；（四）还原前举；（五）还原立正。

（一）由立正式，左腿前进一步，屈膝作左弓箭步；同时两臂向前平举，与肩平，两手手掌，掌心相对，指尖向前，眼平视。（二）上体向前屈，两臂亦随之下落，以两手手指着地，头略抬起。（三）右腿向上高举（量力而行），足面绷直，余式仍旧。（四）右腿落地，上体徐徐直立，两臂亦随之举起，还原进步前举式。（五）两臂放下，左腿收回，还原立正。

图 19　卧虎扑食式一

第三节　六动。（一）进步伏地；（二）左腿后撤；（三）身向前伸；（四）身向后撤；（五）左腿屈回；（六）还原立正。

（一）由立正式，左腿前进一步，屈膝作左弓箭步。同时两臂下伸，两手掌心伏地，与本式第二节（二）动同。（二）左足后撤，与右足并齐，两腿伸直，两臂用力挺直，眼平视（图20）。（三）上体徐徐向后撤，两臂屈，上体再向前伸，两臂亦随之伸直。（四）两臂屈，上体徐徐向后撤，臂又随之伸直。（五）左腿屈回，仍作左弓箭步，与本节（一）动同。（六）上体直立，左腿收回，与右腿并齐，还原立正式。

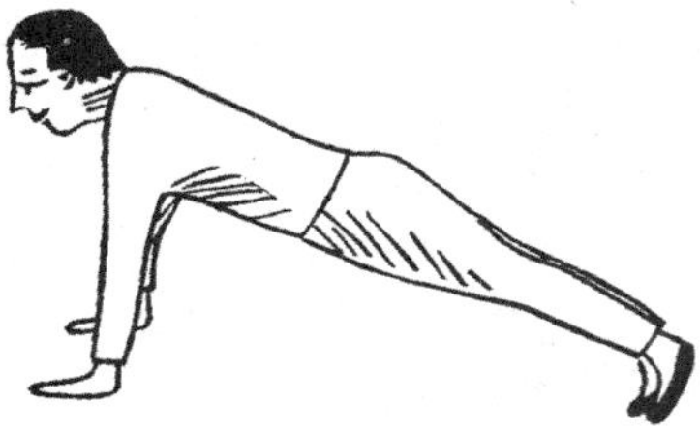

图20　卧虎扑食式二

第四节　六动。（一）进步伏地；（二）左腿后撤；（三）两臂下屈；（四）两臂挺直；（五）左腿屈回；（六）还原立正。

（一）进步伏地，与本式第三节（一）动同。（二）左腿后撤，与本式第三节（二）动同。（三）两臂徐徐向下屈。（四）两臂再徐徐伸直。（五）左腿屈回（见上节）。（六）还原立正（见上节）。

运动部分

此式为全身运动。屈臂为肘关节之屈曲，主动筋肉为二头膊筋、内膊筋。上体前屈，脊柱前屈也，主动筋肉大腰筋、小腰筋、直腹筋及[①]他筋肉。屈膝为膝关节之运动，主动筋肉为肠腰筋、直股筋、缝匠筋。腿向上举，为髀臼关节之前后轴运动，主动筋肉为中臀筋、小臂[②]筋、张股鞘筋等。

注释

① 及：此处疑漏一“其”字。

② 臂：据文意此应为“臀”字。

注意及矫正

两臂前举或前推时，宜伸直与肩平。作弓箭步时，踏出之腿尽力前屈膝，但不可过足尖，后腿尽力伸直，足踵不可离地。腿向上高举，宜量力而行，足面宜绷直。

治疗

可以疗治腿、臂屈伸不灵活诸病。

应用

可以增长腿、臂屈伸之力量。

教练口令

第一节　扑地提手，数一、二、三、四、五。

第二节　扑地举腿，数一、二、三、四、五。

第三节　扑地伸腰，数一、二、三、四、五、六。

第四节　扑地屈臂，数一、二、三、四、五、六。

第十一式　抱首鞠躬式一名打躬式

原文

两手齐持脑，垂腰至膝间，头惟探胯下，口更啮牙关，掩耳聪教塞，调元气自闲，舌尖还抵腭，力在肘双弯。

解曰

本式由直立式，两臂回屈，手抱颈后，两掌掩耳（为教练便利起见，可用十指交叉，颈后抱头），肘用力后张，上体徐徐前下屈至膝前，然后徐徐起立，闭口舌抵上腭，气沉丹田，使呼吸有节，气自鼻孔出入。本此义编作法一节如后。

作法

第一节　四动。（一）两手附颈；（二）上体前屈；（三）上体还原；（四）两手放下。

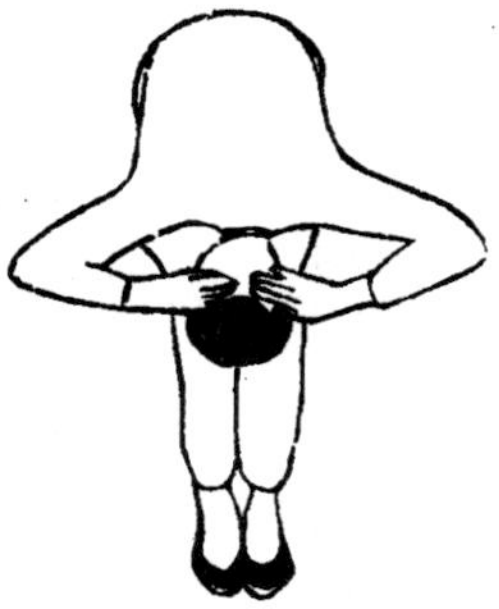

图 21　打躬式

（一）由立正式，两臂上屈于肩上，两手十指相组，附于颈后，眼平视。（二）上体徐徐前深屈，至胸部接近腿部为止，头略抬，两腿仍挺直勿屈（图 21）。（三）上体徐徐直立，还原（一）之动作。（四）两手放下，还原立正式。

运动部分

此式为腰部及肩肘关节运动。两手附颈，为上臂侧面平举，前臂屈曲前回及手腕关节内转也，主动筋肉为三角筋、棘上筋、小圆筋、棘下筋、回前方筋、回前圆筋、外尺骨筋、内尺骨筋。上体前屈，即脊柱前屈也，腰椎部所屈最多，主动筋肉为小腰筋、腹直筋、肠腰等。

注意及矫正

练习此式时，所最宜注意者，即上体前屈时，头宜略为抬起，否则难免脑充血之病，膝盖亦挺直勿屈。手伏颈时，两肘宜极力向后张，为扩张胸部起见，否则胸部受压迫，于生理大受阻碍。

治疗

可治腰肾诸疾。

应用

能使腰部灵活，臂部、腿部筋肉伸长。

练习口令

第一节　打躬，数一、二、三、四。

第十二式　伸臂下推式一名掉尾式，又名搬僧式

原文

膝直膀伸，推于至地，瞪目昂头，凝神一志，起而顿足，二十一次，左右伸肱，以七为至，更作坐功，盘膝垂视，目注于心，息调于鼻，定静乃起，厥功惟备。

解曰

本式由直立式，两臂左右高举，手指相组，掌心上翻，上体徐徐向前、左、右深屈，伸臂下推，以两手掌着地为止，头略抬起，然后徐徐起立。如此反复行之，呼吸调匀，心定气静。此式为十二式之终。各式连续练毕，为时已久，腿部已劳倦，故安顿以休息之。伸肱

者，伸臂也，左右伸舒，以平均其力也。静坐方法，与怡养精神颇有关系，运动后能静片时，以定心志，兼事呼吸，以调和周身血脉，久之则智慧生、身体健，有不期然而然者矣。

作法

第一节　四动。（一）两臂高举；（二）上体前屈；（三）上体直立；（四）两臂放下。

图 22　掉尾式

（一）由立正式，两臂由左右向上高举，两手十指相组，两掌心翻向上。（二）两膝弗屈，上体徐徐向下深屈，两臂亦随之下落，以两掌心着地为止，头略抬起（图 22）。（三）上体徐徐直起，两臂亦随之举起，还原（一）之姿势。（四）两臂放下，还原立正式。

第二节　六动。（一）两臂上举；（二）上体左屈；（三）上体直立；（四）上体右屈；（五）上体直立；（六）两臂放下。

（一）两臂高举，十指相组，掌心上翻。（二）两膝勿屈，上体向左转，徐徐向下深屈，两臂亦随之下落，至掌心着地为止，头略抬起。（三）上体徐徐直立，两臂随之举起，还原（一）之姿势。（四）两膝勿屈，上体向右转，徐徐向下深屈，两臂亦随之下落，至掌心着地止。（五）上体徐徐直立，两臂随之举起，还原（一）之姿势。（六）两臂放下，还原立正式。

运动部分

此式为腰部运动。两臂高举时，为肩胛关节及肩胛之运动也，主动筋肉为前大锯筋、僧帽筋、三角筋、棘上筋等。上体前屈，即脊柱前屈也，腰椎部所屈最多，主动筋肉为小腰筋、直腹筋、肠腰筋。上体向左右屈时，为脊柱侧屈，两傍筋肉交互动作，主动筋肉为荐骨脊柱筋、横棘筋、方形腰筋、外斜筋等。

注意及矫正

两臂由左右举起时，臂宜挺直用力，至头上时，即将两手十指相组，各以指间抵住手背，两大臂在两耳之傍，两掌上翻，掌心宜吐力。上体前左右屈时，两腿宜挺直勿屈，头宜抬起，以免脑充血，两臂下落，以着地为宜，但初学时不易，日久即成。

治疗

可治腰部诸病。

应用

能使腰部灵活，臂部、腿部筋肉伸长。

教练口令

第一节　伸臂下推，数一、二、三、四。

第二节　左右伸臂下推，数一、二、三、四、五、六。

按：由于科技进步以及翻译等因素，文中列举的人体肌肉和筋膜等名称，在一百多年中有较多变化，难以一一对应注释，谨此说明。

著作者　北平许霏厚
发行者　体育研究社（北平西单牌楼）
　　　　北平市国术馆（北西斜街五号）
印刷者　京城印书局(北平和平门内北新华街)
　　　　　　　　（电话　南局四五七零号)

《少林十二式》
中华民国二十三年十月初版
定价大洋五角

图书在版编目（CIP）数据

许禹生武学辑注. 陈式太极拳第五路　少林十二式/许禹生著；唐才良校注. —北京：北京科学技术出版社，2018. 3

（武学名家典籍丛书）

ISBN 978－7－5304－8920－8

Ⅰ. ①许…　Ⅱ. ①许…②唐…　Ⅲ. ①太极拳－套路（武术）－基本知识　Ⅳ. ①G852. 111. 9

中国版本图书馆 CIP 数据核字（2017）第 322345 号

许禹生武学辑注——陈式太极拳第五路　少林十二式

作　　者：许禹生
校 注 者：唐才良
策　　划：王跃平
责任编辑：董桂红　周　珊
责任校对：贾　荣
责任印制：张　良
封面设计：张永文
封面制作：木　易
版式设计：王跃平
出 版 人：曾庆宇
出版发行：北京科学技术出版社
社　　址：北京西直门南大街 16 号
邮政编码：100035
电话传真：0086－10－66135495（总编室）
0086－10－66113227（发行部）　0086－10－66161952（发行部传真）
电子信箱：bjkj@bjkjpress. com
网　　址：www. bkydw. cn
经　　销：新华书店
印　　刷：河北鹏润印刷有限公司
开　　本：787mm×1092mm　1/16
字　　数：121 千字
印　　张：15
插　　页：4
版　　次：2018 年 4 月第 1 版
印　　次：2018 年 4 月第 1 次印刷
ISBN 978－7－5304－8920－8/G·2733

定　　价：76. 00 元

人文武术精品书系

北京科学技术出版社

武学名家典籍丛书

杨澄甫武学辑注　定价：178 元
杨澄甫　著　邵奇青　校注
《太极拳使用法》
《太极拳体用全书》

孙禄堂武学集注　定价：288 元
孙禄堂　著　孙婉容　校注
《形意拳学》　《八卦拳学》
《太极拳学》　《八卦剑学》
《拳意述真》

陈微明武学辑注　定价：218 元
陈微明　著　二水居士　校注
《太极拳术》　《太极剑》
《太极答问》

薛颠武学辑注　定价：358 元
薛　颠　著　王银辉　校注
《形意拳术讲义上编》
《形意拳术讲义下编》
《象形拳法真诠》
《灵空禅师点穴秘诀》

陈鑫陈氏太极拳图说（配光盘）
定价：358 元
陈　鑫　著
陈东山　陈晓龙　陈向武　校注

李存义武学辑注　定价：268 元
李存义　著
阎伯群　李洪钟　校注
《岳氏意拳五行精义》
《岳氏意拳十二形精义》
《三十六剑谱》

董英杰太极拳释义　定价：98 元
董英杰　著　杨志英　校注

刘殿琛形意拳术抉微
定价：80 元
刘殿琛　著　王银辉　校注

李剑秋形意拳术　定价：89 元
李剑秋　著　王银辉　校注

许禹生武学辑注　定价：194 元
许禹生　著　唐才良　校注
《太极拳势图解》《陈式太极拳第五路　少林十二式》

张占魁形意武术教科书
张占魁　著　王银辉　吴占良　校注

靳云亭武学辑注
靳云亭　著　王银辉　校注
《形意拳图说》《形意拳谱五纲七言论》

武学古籍新注丛书

王宗岳太极拳论　　定价：50 元
李亦畬　著　二水居士　校注

太极功源流支派论　定价：68 元
宋书铭　著　二水居士　校注

太极法说　　定价：65 元
二水居士　校注

手战之道　　定价：65 元
赵　晔　沈一贯　唐顺之
何良臣　戚继光　黄百家
黄宗羲　著
王小兵　校注

百家功夫丛书

张策传杨班侯太极拳 108 式
（配光盘）　　定价：48 元
张　喆　著　韩宝顺　整理

河南心意六合拳
（配光盘）　　定价：79 元
李洳波　李建鹏　著

形意八卦拳　　定价：52 元
贾保寿　著　武大伟　整理

王映海传戴氏心意拳精要
（配光盘）　　定价：198 元
王映海　口述　王喜成　主编

张鸿庆传形意拳练用法释秘
定价：69 元
邵义会　著

华岳心意六合八法拳
定价：65 元
张长信　著

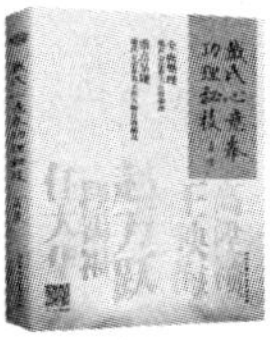

戴氏心意拳功理秘技
定价：68 元
王　毅　编著

传统吴氏太极拳入门诀要（配光盘）
定价：68 元
张全亮　著

拳疗百病——39 式杨氏养生太极拳
定价：96 元
戈金刚　戈美藏　著

尚济形意拳练法打法实践
定价：86 元
马保国　马晓阳　著

程有龙传震卦八卦掌
奎恩凤　著

刘晚苍传内家功夫及手抄老谱
刘晚苍　刘光鼎　刘培俊　著

民间武学藏本丛书

守洞尘技
定价：108 元
崔虎刚　校注

通臂拳
定价：66 元
崔虎刚　校注

心一拳术　李泰慧　著　崔虎刚　校注

少林论郭氏八翻拳　崔虎刚　校注

少林秘诀　崔虎刚　校注

少林拳法总论

六合拳谱

单打粗论

母子拳

拳谱志三

拳法总论

绘像罗汉短打变式

绘像罗汉短打通式

计艺外丹

香木神通

老谱辨析点评丛书

再读浑元剑经　马国兴　著

再读王宗岳太极拳论　马国兴　著

太极拳近代经典拳谱探释　魏坤梁　著

再读杨式老谱　马国兴　著

再读陈氏老谱　马国兴　著

拳道薪传丛书

三爷刘晚苍
——刘晚苍武功传习录
定价：54 元
刘源正　季培刚　编著

乐传太极与行功
定价：68 元
乐　奂　原著
钟海明　马若愚　编著

慰苍先生金仁霖
——太极传心录
定价：82 元
金仁霖　著

中道皇皇
——梅墨生太极拳理念与心法
定价：118 元
梅墨生　著

习武见闻与体悟　　陈惠良　著